84,
Charing
Cross
Road

查令十字街 84 号

84,Charing Cross Road
Helene Hanff

[美国] 海莲·汉芙　著
陈建铭　译

译林出版社

– 纪念 F.P.D. –

"你们若恰好路经查令十字街84号，
请代我献上一吻，我亏欠她良多……"

诸位先生：

我在《星期六文学评论》[2]上看到你们刊登的广告，上头说你们"专营绝版书"。另一个字眼"古书商"总是令我望之却步，因为我老是认为：既然"古"，一定也很"贵"吧。而我只不过是一名对书籍有着"古老"胃口的穷作家罢了。在我住的地方，总买不到我想读的书，要不是索价奇昂的珍本，就是巴诺书店[3]里头那些被小鬼们涂得乱七八糟的邋遢书。

随信附上一份清单，上面列出我目前最想读而又遍寻不着的几本书。如果贵店有符合该书单所列，而每本又不高于五美元的话，可否径将此函视为订购单，并将书寄给我？

你忠实的

海莲·汉芙（小姐）

海莲·汉芙小姐
美国、纽约州、纽约市 28
东九十五大街 14 号

1949 年 10 月 25 日

敬爱的夫人：

　　谨在此回复您于本月五日的来函。敝店很荣幸能为您解除三分之二的困扰。您所列出的三种哈兹里特[4]散文，均收录于这本典范出版社[5]的《哈兹里特散文选》内；斯蒂文森的作品则在《致少女少男》[6]中可以找到。我们挑出两本品相较好的书为您寄上，相信不久后即可送达您的手中，祈盼您会满意。随书附上发票，请查收。

　　至于您提及的利·亨特[7]的散文，目前颇不易得见，不过我们会留意是否能找到收罗齐全且装帧精良的版本，届时将再为您寄上。而您所描述的拉丁文圣经，目前敝店并无存书，仅有晚近出版、布面精装普通版的拉丁文和希腊文《新约全书》，不知您是否有兴趣？

马克斯与科恩书店

FPD 敬上

诸位先生：

今天收到你们寄来的书，斯蒂文森的书真是漂亮！把它放进我用水果箱权充的书架里，实在太委屈它。我捧着它，生怕污损它那细致的皮装封面和米黄色的厚实内页。看惯了那些用惨白纸张和硬纸板大量印制的美国书，我简直不晓得一本书竟也能这么迷人，光抚摸着就教人打心里头舒服。

住在楼上的女孩儿凯特，她的英国男朋友布莱恩帮我将账单上列的书价一英镑十七先令六便士换算成美金五元三角，希望他没算错。我寄了五元和一元的钞票各一张，多出来的七角请用来支付《新约全书》，那两本我都要买。

你们可否行行好？下回先将书价换算成美金。我连算简单的美金加减都一塌糊涂了，要我把英镑换算成美金真是阿弥陀佛。

海莲·汉芙

我希望在你们那边，"夫人[8]"的意思和我们这边指的是两码事。

海莲·汉芙小姐
美国·纽约州·纽约市 28
东九十五大街 14 号

1949 年 11 月 9 日

敬爱的汉芙小姐：

　　您寄来的六元书款已悉数收到，不过我们建议您不妨改以邮政划拨的方式付款，如此不但对你我双方都较为便利，亦比直接将钞票放入信封内要保险得多。

　　我们非常高兴得知您如此喜欢那本斯蒂文森的书。两本《新约全书》已于今日付邮，账单亦一并附上，同时依照您的嘱咐，将书款分别以英镑与美金计价。我们期盼您也会喜欢此次寄去的两本书。

马克斯与科恩书店

FPD 敬上

这算哪门子新约圣经啊!

好心替我转告英国圣公会诸公,他们平白糟蹋了有史以来最优美的文章。是哪个家伙出馊主意把通俗拉丁文圣经整成这副德性?他们活该都下十八层地狱,你记着我的话准没错。

其实我犯不着火冒三丈,我本身是犹太人。不过我的嫂子是天主教徒;弟媳是卫理公会的;还有一票皈依长老教派的表亲(全是被我的亚伯拉罕叔公拉去改宗的);还有一个到处宣扬基督信仰疗法的姑妈。他们要是知道有这么一本英国人搞出来的不三不四的拉丁文圣经,个个不暴跳如雷才怪!(话说回来,他们搞不好根本不晓得现在还有拉丁哩。)

哼,去他的!我手边还有一本从我的拉丁文老师那儿借来的圣经,暂且先不还他就是了,等你们找一本卖给我再说。

寄去四元支付我欠你们的三元八角八分,你就拿多出来的一角二去买杯咖啡喝吧!我住的地方附近没有邮局,我才不要为了划拨三元八角八分,大老远跑到洛克菲勒广场去大排长龙呢。何况,如果要等到我哪天有空顺道去办事,口袋里的三元八角早就被我花得一毛不剩了。我对美国邮政和皇家邮政有十足的信心。

你们有兰多[9]的《假想对话录》吗？我想全套应该不止一本，我想读的是"希腊对话录"，如果里面有伊索[10]和萝多彼[11]的对话，就是那一本没错。

海莲·汉芙

海莲·汉芙小姐
美国．纽约州．纽约市 28
东九十五大街 14 号

1949 年 11 月 26 日

敬爱的汉芙小姐：

您的书款已安全寄达，我们会将多出的一角二分先计入您在敝店的专属账户中。

很凑巧，敝店正好有收录"希腊对话录"的《沃尔特·萨维奇·兰多作品暨传记全集》中的第二卷，"罗马对话录"亦收录其中。本书由于是一八七六年出版的旧版本，并不是非常漂亮，但装订完好，书亦称干净。我们今日会将书与账单一并为您寄上。

我在此为那本让您深感不满的拉丁文圣经向您致歉，我们将重新为您找一本正宗《通俗拉丁文圣经》[12]；利·亨特的书仍持续密切留意中。

马克斯与科恩书店

FPD 敬上

敬启者：

（老用"诸位"着实不智，我察觉显然从头到尾都是同一个人为我服务。）

萨维奇·兰多的书今天寄达，我迫不及待立即翻开"罗马对话录"——两座城市刚毁于兵燹战火，涂炭生灵被钉在十字架上，苦苦哀求列队过的罗马士兵，干脆一戟刺死他们，好尽早结束这永无止尽的折磨……再翻到"希腊对话录"，情境有了一百八十度的转换：读着伊索和萝多彼的娓娓对谈，这里惟一的忧虑只是怕饿着了肚子……我着实喜爱被前人翻读过无数回的旧书。上次《哈兹里特散文选》寄达时，一翻开就看到扉页上写着"我厌恶读新书"，我不禁对这位未曾谋面的前任书主肃然高呼："同志！"

随函附上一元，布莱恩（楼上女孩凯特的英国男朋友）说这够付我欠你的八先令，你又忘了换算了。

言归正传，布莱恩告诉我：你们每一户每个星期才配给到两盎司肉；而每个人每个月只分得一只鸡蛋！我一听简直吓坏了。他拿出一本目录给我看，这是一家设籍在美国的英国公司，专门代人从丹麦寄送补给物资到英国。所以我会寄给马克斯与科恩书店一份小小的圣诞礼物，希望数量足够让你们大家都能分得一些，因为布莱恩跟我说：查令十字街上的书店全都"小得很"。

我会在包裹上注明由你——FPD——代转，天晓得你叫啥。

祝　佳节愉快

海莲·汉芙

FPD！糟了！

    我刚把包裹寄走，里面主寄的是一条六磅重的火腿，我想你们应该可以自己拿去给肉贩，请他切片后再平分给大家。

    不过我刚刚才发现你们寄来的账单上头印着"B. 马克斯、M. 科恩"。

他们是犹太人 [13] 吗？我该火速补寄点儿牛舌吗？

快通知我该怎么办！

海莲·汉芙

海莲·汉芙小姐
美国，纽约州，纽约市 28
东九十五大街 14 号

1949 年 12 月 20 日

亲爱的汉芙小姐：

　　谨在此向您报告，您的礼品包裹于今日平安抵达，并已均分给大家。而马克斯先生和科恩先生则坚持只由员工均分即可，不用关照"老板"。再者，我想让您知道，您所寄来的物品，我们不是久未看到，就是只能偶尔在黑市匆匆一瞥。您能这样子顾虑我们，实在是太亲切也太慷慨了，我们都深怀感激。

　　我们要在此表达对您的感谢，并祈祝您未来一年一切顺心。

马克斯与科恩书店

弗兰克·德尔　敬上

弗兰克·德尔！你在干吗？我啥也没收到！你该不是在打混吧？

利·亨特呢？《牛津英语诗选》呢？《通俗拉丁文圣经》和书呆子约翰·亨利[14]的书呢？我好整以暇，等着这些书来陪我过大斋节[15]，结果你连个影儿也没寄来！

你害我不得已枯坐在家里，把密密麻麻的注记写在从图书馆借来的书上。哪天要是让他们发现了，包准吊销我的借书证。

我已经叫复活节兔子给你捎个"蛋"，希望它到达时不会看到你已经慵懒而死了！

春意渐浓，我想读点儿情诗。别给我寄济慈或雪莱！我要那款款深情而不是口沫横飞的。怀亚特[16]还是琼森[17]或谁的，该寄什么给我，你自己动点儿脑筋！最好是小小一本，可以让我轻松塞进口袋里，带到中央公园去读。

行啦！别老坐着，快去把它找出来！真搞不懂你们是怎么做生意的！

海莲·汉芙小姐
美国，纽约州，纽约市 28
东九十五大街 14 号

1950 年 4 月 7 日

亲爱的汉芙小姐：

感谢您寄来的复活节礼物，包裹已于昨日平安寄达。看到这些罐头和那一盒生鸡蛋，大家都十分开心，全体同仁与我在此感激您对我们的亲切与慷慨。

非常抱歉我们一直没能寄上您想要的书。关于您所提到的情诗集，敝店偶尔会收购到一些，可惜店内目前没有存书，但我会竭力为您搜寻。

再次感谢您寄来的礼物包裹。

马克斯与科恩书店

弗兰克·德尔　敬上

1950 年 4 月 7 日

亲爱的汉芙小姐：

请不要让弗兰克知道我写信给您。每回寄账单给您时，我都好想偷偷塞一张短笺到信封里。不过弗兰克一定会认为，以我的职务这么做并不适当。您听到我这么说，大概会以为他是个老古板吧？其实他是一个好得不能再好的人。只是每次您寄到书店的信或包裹都以他为收信人，而且他也将回信给您视为他的分内职责。不过我倒是一直很想自己给您写信。

我们都好喜欢读您的来信，大伙儿也常凑在一起揣摩您的模样儿。我坚信您一定是一位年轻、有教养且打扮时髦的人；而老马丁先生竟无视您流露出来的绝顶幽默，硬要把您想成一个学究型的人。您愿意寄一张您的照片给我们吗？我们都很想瞧瞧呢！

如果您也对弗兰克感到好奇的话，我偷偷告诉您：他年近四十，长得很帅，娶了一位漂亮的爱尔兰姑娘——好像是他的第二任太太。

大家对您寄来的包裹都万分感激。我家那两个小家伙（女孩五岁、男孩四岁）简直乐翻了，因为有了您寄来的葡萄干和鸡蛋，我就可以为他们烤个蛋糕了！

希望您不介意我私下写信给您，也请不要告诉弗兰克哟。

诚心祝福您

塞西莉·法尔

P.S. 我会将家里的地址写在信封背后，万一您想到有什么我可以从这儿寄给您的，可以写信告诉我。

C.F.

亲爱的塞西莉：

真是让老马丁先生大失所望了，请转告他：我非但一丁点儿学问都没有，连大学也没上过哩！我只不过碰巧喜欢看书罢了。说起来还得感谢一位剑桥的学者奎勒－库奇[18]（一般都称他为 Q），是他让我在十七岁那一年一头栽进书堆里，从此不可自拔。至于我的长相，大概就跟百老汇街上的叫化子一样"时髦"吧！我成天穿着破了洞的毛衣跟长毛裤，因为住的老公寓白天不供应暖气。整幢五层楼的其他住户早上九点出门，不到晚上六点不会回来，房东认为他犯不着为了一个窝在家里摇笔杆的小作家，而整天开着暖气。

可怜的弗兰克，真是难为他了，我老是对他颐指气使的。我只是在打趣，不过就知道他会当真。我一直想要戳穿他那英国式的矜持。要是哪天他得了胃溃疡，都是我害的。

请多来信告诉我关于伦敦的一切。我幻想着那一天快点到来——我步下轮船、火车，踩上布着尘灰的人行道……我要走遍柏克莱广场，逛尽温柏街；我要置身在约翰·多恩[19]布道的圣保罗大教堂；我要跌坐在伊丽莎白拒为阶下囚[20]的伦敦塔前台阶上……我有一位战时派驻在伦敦的记者朋友，他曾经对我说：游客往往带着先入之见，所以他们总能在英国瞧见他们原先想看的。我告诉他，我到英国是为了探寻英国文学。而他这么告诉我：

"去那儿准没错。"

祝一切安好

海莲·汉芙

海莲·汉芙小姐
美国，纽约州，纽约市 28
东九十五大街 14 号

1950 年 9 月 20 日

亲爱的汉芙小姐：

自前封信以来，许久未向您报告，盼您不致认为我们因弛废店务而忘却了您交代我们该找的书。

言归正传，《牛津英语诗选》新近到库，此书内页以印度纸[21]印制，原版的蓝布精装，出版于一九〇五年，扉页有前人签记，算是一本书况不错的二手书，标价两美元。我们认为在径自寄给您之前，应先向您略述此书的状况，以免您在这段时间内已另行购得一册。

许久以前，您曾垂询纽曼的《大学论》一书的下落。您是否钟意首版书？最近我们收购到一册，谨描述如下：

纽曼（约翰·亨利，神学博士）：《大学教育之目的及其本质——应都柏林天主教会之邀所作的演说之讲义稿》。首版，八开，小牛皮装帧。一八五二年于都柏林出版，若干页面稍有渍斑但装帧完好。

价格：美金六元

为了避免让别人捷足先登，这两本书我们会先为您保留。静候您的回复。

祝　身体健康

马克斯与科恩书店

弗兰克·德尔　敬上

（他手上有只卖六美元的首版《大学论》，竟还问我要不要买！真不晓得该说他老实呢，还是憨？）

亲爱的弗兰克：

是的！我要！我真是快受不了我自己了，本来我并不特别讲究什么首版不首版的，可是，"那本书"的首版……！

哗——我真迫不及待想看到它。

也请把《牛津诗选》一并寄来。下回可别再纳闷我有没有跟别人买书了。既然我寸步不离书桌，就能向你们买到既干净又漂亮的书，我干吗跑到十七大街去买那些又脏又丑的？从我坐着的地方，伦敦可近得太多啦。

附上"千万不能掉了"的八元钞票。我对你提过布莱恩正在打官司没？他向伦敦的一家理工专门书店订了一大套特贵的物理学书。他可不像我，既邋遢又散漫，他特地到洛克菲勒广场，乖乖地排队等着划拨那一大笔书款，该办的事一件也没漏。他精得很，聪明人自有聪明人按部就班的做法。

结果你猜怎么着？那笔钱不知道给汇到哪儿去啦！

皇家邮政，加把劲儿！

HH

为了庆祝我的第一本首版书，加上海外邮购公司终于给了我一本目录，我决定要寄一个小小的包裹送你们。

1950 年 10 月 2 日

亲爱的海莲：

　　这些照片我带到店里好几个礼拜了，不过我们这阵子真是忙得昏天暗地，所以一直找不到空当寄给你看。这些都是我和道格（我的先生）在诺福克拍的，那儿是他所属的皇家空军驻地。那里头我没有一张拍得漂亮的，不过这是我所能找到最好的了，孩子们和道格那几张倒是都还不错。

　　亲爱的海莲，我好盼望你真的能如愿到英国来，你何不省点儿买书钱，好让你能在明年夏天成行呢？我的爸爸妈妈在米德尔塞克斯有幢房子，我们会很高兴接你来住的。

　　梅甘·韦尔斯（老板的秘书）和我打算明年七月一起去泽西岛（在海峡群岛之中）度假一个礼拜，你可以来和我们一块儿玩，反正回到米德尔塞克斯不须花用你太多开销。

　　本·马克斯先生在瞄我写些什么了，就此停笔。

塞西莉　谨上

真是的！！！

不是我爱唠叨，弗兰克·德尔！看到**书店**竟忍心把这么美的古书五马分尸，拿内页充当包装纸、填箱料，我真是觉得世道中落、万劫不复了。我向被包在里头的约翰·亨利告状："主教阁下，斯文如此扫地，君岂信乎哉？"

他说他也实在百思不得其解。更可恶的是你把书拆散了，随便抓来几页顺手就包，害我根本搞不清楚上头到底是在打哪一仗哪一役。

这本书大约一个星期前寄达，现在气也慢慢消了。我把它端端正正地摆在案前，整天陪着我。我不时停下打字，伸手过去，无限爱怜地抚摸它。倒不全然因为这是首版书，主要是我打出生起从没见过这么标致的书。拥有这样的书，竟让我油然而生莫名的罪恶感。它那光可鉴人的皮装封面，古雅的烫金书名，秀丽的印刷铅字，它实在应该置身于英国乡间的一幢木造宅邸；由一位优雅的老绅士坐在炉火前的皮质摇椅里，慢条斯理地轻轻展读……而不该委身在一间寒酸破公寓里，让我坐在蹩脚旧沙发上翻阅。

我要买那本 Q 的文集，可是忘了多少钱，我把你的上一封信搞丢了。好像是两块钱吧？附上两张一元钞票，若是不够就来信告诉我。

下回要寄书来时,拿第五一二页和五一三页来包书怎么样？这样我才晓得最后哪一边打赢了，还有那到底是哪一场战役。

HH

P.S. 你们那儿可有《佩皮斯日记》[22]？我需要它来伴我度过漫漫冬夜。

海莲·汉芙小姐
美国，纽约州，纽约市 28
东九十五大街 14 号

1950 年 11 月 1 日

亲爱的汉芙小姐：

　　谨在此向您致歉，迟至今日才回信给您。我因公到外地出差了一个多星期，一回到办公室就被许多待办的事务耽搁，现在才有空提笔给您回信。

　　首先，请您完全无须为我们拿旧书内页当包装纸用而感到忧心，那只是全套《英国叛乱和内战史》[23] 之中装订破散且多出来的一册复本，我想应该是无法当成商品卖给任何人的。

　　奎勒－库奇的文集《朝圣之路》，已付邮寄给您。您的待付款项为一元八十五分，所以您新近寄来的两元用来支付该书仍绰绰有余。另，《佩皮斯日记》目前店内暂无存书，将会为您留意。

　　祝　万事如意

马克斯与科恩书店

F. 德尔　敬上

海莲·汉芙小姐
美国，纽约州，纽约市 28
东九十五大街 14 号

1951 年 2 月 2 日

亲爱的汉芙小姐：

很高兴听到您喜欢那本奎勒－库奇的书。《牛津英语散文选》此刻并无库存，我们将会为您留意。

至于《罗杰·德·科弗利爵士 [24] 正传》，我们手头上正巧有一本十八世纪的文集，除了包含该书的不少篇章之外，亦收入切斯特菲尔德 [25] 与哥尔德斯密斯 [26] 的文章。此书由奥斯汀·多布森 [27] 精心编选，敝店仅标价一元十五分。我们已将书寄去给您。如果您想要更为完整的艾迪生与斯梯尔文集的话，请通知我，我将尽力为您寻找。

敝店若不包括马克斯先生与科恩先生，共有职员六人。

马克斯与科恩书店

弗兰克·德尔 敬上

亲爱的海莲：

做法不止一种，妈妈和我一致认为下面这个方法对你而言应该是最简单的：准备面粉一杯、鸡蛋一只、鲜奶半杯，撒入少许盐，在一个海碗里充分搅拌，直到变成浓稠的奶油状。搁进冰箱里摆几个钟头（所以一大早开始做，时间最刚好不过）。当你要把肉送进炉子时，挪个位子摆一个铁盘让它预热。在肉烤好前一个半钟头，浇一点儿肉汁在铁盘上，不用太多，浅浅的够铺满铁盘即可。记住！铁盘得烘烤得"非常热"才行。接着，把你先前准备好的布丁料全拨到铁盘上头，然后再放着继续烤。这样一来，肉和布丁便可以同时出炉上桌啦！

对于从没见过的人，我实在不知道该怎么恰当地形容它。总之，一个大功告成的约克郡布丁应该会蓬松得高高的，表皮焦脆，当你切开它时，会发现里头其实是空心的。

道格仍然随着皇家空军驻扎在诺福克。你寄来的圣诞节罐头，我们家严格地实施管制囤积，好等他休假回来时再全家一起享用。亲爱的海莲，你一定不难想见，届时我们将会有个多么棒的庆祝餐会啊！不过，你实在不该这样子为我们破费的！

得赶快把信寄出去了，这样你才来得及在布莱恩的生日晚宴上推出这道菜，成果如何一定要写信告诉我哟！

爱你的

塞西莉

亲爱的塞西莉:

　　约克郡布丁简直太棒了! 因为我们这儿从没人见识过这玩意儿,我后来都只好向别人形容成"一笼高高鼓起、松软细致、入口即化的特大号烤饼"!

　　请别为我寄去的那些食品操心。我自己也觉得不可思议,那家海外邮购公司也不晓得是不是非营利机构,抑或是商品可以免税什么的吧? 总之,他们的东西都便宜得很,我自己买的那只火鸡都比寄给你们的那一大箱圣诞包裹还贵哩。他们的确有一些价格比较高的商品,比如大块的烤肋排,或是一整只羊腿之类的。不过,即使是那些东西,也比我向这儿的肉贩买要便宜许多,如果真得那样,把我剁了也没法子寄东西给你们。现在正浏览着目录,我把它摊在地毯上,琢磨着两个旗鼓相当的商品组合:编号 105 的包裹(内含鸡蛋一打外加甜面饼一箱)和编号 217B 的包裹(内含鸡蛋两打,没有甜面饼),我实在不甘心寄一打装的鸡蛋,让你们每人各分得两只能干吗? 不过布莱恩跟我说,粉末干燥蛋吃起来味同嚼蜡,还真伤脑筋。

　　有一位制作人刚打电话给我,说他蛮喜欢我写的剧本(还没喜欢到要把它搬上舞台的程度）。他正打算制作一部电视剧集，问我是否有兴趣编电视剧本，他漫不经心地说："一集给两张！"搞了半天才弄明白他的意思是：每一集的稿费两百元。我原先为剧团修改剧本，一周的酬劳也才不过四十元！明天要去和他详谈，快祝我好运吧！

祝福你

海莲

1951 年 4 月 4 日

海莲亲爱的：

你寄来的复活节包裹已经收到，这些礼物实在是太棒了！不过，因为弗兰克第二天一早就出差去了，所以他没空回信向你道谢，大家都急得直跳脚，而其他人全都不敢斗胆写信给"弗兰克的汉芙小姐"。

包裹里的肉食实在太棒了！我认为你真的不该再这样子为我们破费，一定花了你不少钱吧？愿上帝保佑你的好心肠。

本·马克斯先生走过来要找事给我做了，就此搁笔。

爱你的
塞西莉

亲爱的汉芙小姐：

谨在此向您报告,您寄到马克斯与科恩书店的复活节礼物,已于前几天寄达。但弗兰克·德尔先生因公外出，错过与大家分享喜悦了。

一见到包裹里头的肉，所有人的眼睛都看直了，而鸡蛋也大受欢迎。我觉得有必要写封信向您报告：所有同仁对您的好意和慷慨都万分感激。

我们所有同仁都期盼您能尽快来英国，届时我们一定会竭尽心力，让您有一趟愉快的英伦之旅。

梅甘·韦尔斯 谨上

敬爱的汉芙小姐：

我是马克斯与科恩书店的编目员，已在书店任职即将届满两年。谨在此向您表达感激之意。谢谢您多次寄赠礼物包裹给我们。

我现在与七十五岁的姨婆住在一起。当我带着您送的肉、牛舌罐头回到家里，我想如果您能在场目睹姨婆脸上惊喜万状的表情，您大概就不难想见我们满溢的感激之情了。知道远方有人竟能为素未谋面的一群人付出这么多关怀和慷慨，我的内心实在倍感温暖。而我相信，所有同仁必定与我深有同感。

如果您想到有什么事我可以代劳，或是您希望我能从伦敦寄点儿什么给您的，请务必交代我去办，我将会引以为荣。

比尔·汉弗莱斯 谨上

海莲·汉芙小姐
美国，纽约州，纽约市 28
东九十五大街 14 号

1951 年 4 月 9 日

亲爱的汉芙小姐：

　　我猜您大概已经开始担心，我们竟然这么久都没写信谢谢您寄来的包裹，心里头一定正在嘀咕：真是一群不知好歹的家伙。实际上，我刚离开伦敦到乡间跑了一大圈，到处拜访私人宅邸，搜寻待售的藏书，努力补充店里捉襟见肘的库存。我太太已经开始把我当成房客来招呼了——我总是只回家睡觉，一吃完早餐又不见人影。不过，当我带着您送的肉（鸡蛋、火腿就更不用说了）回到家里，她就会觉得我毕竟也不是一无是处。当然，所有的不开心也就随之烟消云散。说实在的，我们已经太久没能见到一块完整的肉了。

　　我们总得想点儿法子，表达我们对您的感激。于是，我们将另行寄上一本小书，希望您会喜欢它。我还记得您曾经想买一本情诗集，这是我所能找到尽可能符合您的要求的了。全体同仁为您献上此书，盼您笑纳。

马克斯与科恩书店

弗兰克·德尔 敬上

附在《伊丽莎白时期情诗选》里的卡片：

谨以此书赠予

海莲·汉芙

并为其诸多美善情谊

致上　最诚挚的祝福

与　无尽的感激

伦敦查令十字街 84 号

全体员工一同

一九五一年四月

此致　伦敦查令十字街 84 号全体同仁：

　　谢谢你们送我这本书。我从没拥有过这么一本三边的页缘都上金的书。你们知道吗？我竟在生日当天收到这本书！

　　你们另外写了一张卡片，而不直接题签在扉页上，我真希望你们不要这样过分拘谨。如果我猜得没错，这一定是你们的"书商本性"作祟使然吧，你们担心一旦写了字在书上，将会折损它的价值。差矣，你们如果真能这么做，不仅对我而言，对未来的书主，都增添了无可估算的价值。我喜欢扉页上有题签、页边写满注记的旧书；我爱极了那种与心有灵犀的前人冥冥共读，时而戚戚于胸、时而被耳提面命的感觉。

　　还有，大家为什么都不签上名字呢？我猜一定是弗兰克不准你们签的，他大概怕我会撇下他，一一给你们大家写情书吧！

　　隔着汪洋，我在美国此端遥寄我对你们的祝福——"美国"，好一个"坚定的盟邦"！当她一掷千金帮日本、德国从败仗中"复苏"，却眼睁睁看着英国同胞饱受饥馑之苦！皇天为证，总有一天我要亲自去英国，当面为她向你们道歉。（等我回国后，我会叫她加倍向我赔罪！）

再次感谢你们送我这本美丽的书，我一定会格外小心，免得让它溅到酒滴、沾了烟灰。这份礼物对我这种人来说实在太隆重了。

海莲·汉芙 上

甜心儿：

这是一间活脱从狄更斯书里头蹦出来的可爱铺子，如果让
你见到了，不爱死了才怪。

店门口陈列了几架书，开门进去前，我先站在外头假装随
意翻阅几本书，好让自己看起来像是若无其事地逛书店。一走
进店内，喧嚣全被关在门外。一阵古书的陈旧气味扑鼻而来。
我实在不知道该怎么形容：那是一种混杂着霉味儿、长年积尘
的气息，加上墙壁、地板散发的木头香……店内左手边有张书
桌，坐着一位年约五十、长着一只贺加斯[28]式鼻子的男士。他
站起身来，操着北方口音对我说："日安。"我回答说我只是随
意逛逛，而他则有礼地说："请。"

极目所见全是书架——高耸直抵到天花板的深色的古老书
架、橡木架面经过漫长岁月的洗礼，虽已褪色仍径放光芒。接着
是摆放画片的专区——应该说：一张叠放着许多画片的大桌台。
上头有克鲁克香克[29]、拉克姆[30]、斯派[31]和许许多多我叫不出名
字的英国插画家的美丽画作；另一边还放着几叠迷人的古旧画刊。

我在店内待了约莫半个钟头光景，期待着你的弗兰克或是

哪个女孩儿翩翩现身。不过，因为我到达时已过了一点钟，我猜他们全都外出用餐去了，而我又不能待太久。

就是这样咯！新戏的预告并没有造成万人空巷，不过据说对方人蛮好的，排给我们几个月的档期，所以我昨天出门找出租公寓，在骑士桥 [32] 附近有一间小小的、蛮不错的小套房。现在还没确定，一旦定下来，我会写信告诉你，你也可以再打电话问我妈。

三餐不成问题，我们都在餐厅或旅馆里用餐，像最高级的克拉里兹大饭店就能充分供应炖牛肉、烤排骨。价钱虽然贵得离谱，不过折合成美金倒是挺划算的，所以我们还吃得起。假使换成我是英国人，瞧见这光景一定会恨得牙痒痒的。但是他们反而都对我们好得不得了，到处有人邀请我们去家里做客或上馆子。

惟一短缺的东西就是糖，凡是甜的东西，一应俱缺。也许我反该谢天谢地，正好让我在这里瘦它个几磅。

写信给我。

爱你的

玛克辛

玛克辛：

真多亏了你的慧心巧手，书店简直被你给写活了——你的文笔实在比我好得太多啦！

我刚打了电话给你妈妈要你的住址，她要我转告你：方糖和巧克力棒依照你的交代，已经给你寄去了。你不是还跟我说你要趁机减肥的吗？

我不想让你以为我是酸葡萄，不过我实在不明白，你究竟是何德何能？老天竟任由你饱览遍逛"我的书店"；而我为什么就只得乖乖蹲在九十五大街的破公寓里，埋头写着这劳什子《埃勒里·奎因的冒险》[33] 电视剧集脚本！"我不是告诉过你，不能安排一截沾着口红的烟蒂当作破案线索吗？""我们这个节目是由百优雪茄公司赞助的，千万别给我编出'香烟'这个台词儿。"……就连在场景里安排的一只道具烟灰缸里也不许出现烟屁股；也不能摆雪茄屁股——厂商嫌不好看——所以，只要剧情出现烟灰缸，里头全好端端地搁着一管全新的、未拆封的百优雪茄！

简直岂有此理！你却还能跟约翰·吉尔古德[34] 坐在克拉里

兹的酒吧里打情骂俏!

来信时多写些伦敦的事物——地铁、巷弄胡同、古宅大院[35]……随便什么都好,写仔细点儿。告诉我骑士桥长什么模样,此刻我的耳畔似乎响起了科茨的《伦敦组曲》[36]……听起来是那么绿意盎然、雄壮典雅。

xxxx

hh

这哪是佩皮斯日记呢？你倒是给我交代清楚！

这本书根本不够资格称之为《佩皮斯日记》，这只是哪个没事找事做的半吊子编辑，从佩皮斯日记里**东挖西补**、**断章取义**，存心让他死不瞑目！

真想啐它一口！

一六六八年一月十二日的日记跑到哪儿去了？记着他的老婆把他踹下床，抄了根烫红的拨火棍，追着他满屋子乱跑的那天的日记呢？

记着 W. 佩恩爵士福至心灵的儿子 [37] 成天揣着教谕，把大伙儿搞得七荤八素的日记呢？这些偷工减料的手脚可别想逃过我的法眼。

附上两张皱巴巴的钞票。我想，用来付这本玩意儿，外加你将要为我找来的那本"货真价实的佩皮斯"，应该绰绰有余了！到时候，我会将这本烂书碎尸万段，**然后，一页一页撕下来——拿来包东西！**

HH

P.S. 圣诞节快到了，到底是寄新鲜的鸡蛋，还是干燥蛋好呢？我当然明白干燥蛋可以放得比较久，但是，"丹麦空运直送的新鲜鸡蛋"光听都觉得香，你们快帮我拿主意吧！

海莲·汉芙小姐
美国，纽约州、纽约市 28
东九十五大街 14 号

1951 年 10 月 20 日

亲爱的汉芙小姐：

　　首先，在此为我们的疏忽向您致以十二万分的歉意。我一直错认为那是收录完整的布雷布鲁克版。我相当能够理解，当您发现该书阙漏了喜爱的章节时，会有何等的失落感受。

　　我一定会尽力另找一本书价合理、完整收录您在信中提及的段落的《佩皮斯日记》，并尽快为您寄上。

　　同时，很高兴地在此向您报告：本店最近将收购一批私人藏书，我已从该批书籍中拣选出一些您会喜欢的书，包括一本利·亨特的选集，收录大半您曾提及的文章；还有一册《通俗拉丁文新约全书》——希望这回不会再出错了；同时有一本或许对您相当实用的《通俗拉丁文圣经辞典》；另一本《二十世纪英国散文选》，内容虽收入希莱尔·贝洛克[38]的文章，但并不是谈论厕所的那篇。随信附上发票，上列书款十七先令六便士，约合美金二元五角，此书账已扣除您在敝店账户中的二元余额。

　　至于鸡蛋的问题——店内同仁商量的结果，大家似乎意见一致，均认为新鲜鸡蛋较好。诚如您所言：鲜蛋虽较难久放，但风味确实不同。

我们都期盼大选后日子会好转。如果丘吉尔先生和他的政党能赢得选举——这也是我的衷心期望，将会是一件振奋民心的好事。

衷心祝福您

马克斯与科恩书店

弗兰克·德尔 谨上

亲爱的急惊风：

你简直是"迅雷不及掩耳"，利·亨特的书和《通俗拉丁文新约全书》"倏忽"寄达。你大约还没弄明白吧——这不正是我两年前就向你们订购的书吗？如果你继续照着这种提心吊胆的步调干活儿，要不得心脏病也难。

我真恶毒。你为了帮我找书，忙东忙西的，我竟然不曾向你道过一声谢，我简直是坏透了。其实，你在那头儿受苦受难，我都是铭感在心底的。附上三元钞票，抱歉，最上头那一张被我溅到了几滴咖啡，应该还不至于作废的地步，上头的面额还可以看得出来。

你们有精装版的合唱乐谱吗？比如说巴赫的《马太受难曲》或韩德尔的《弥赛亚》？虽然我顶着寒风，走到五十条街外就能买到，但我想我还是"就近"先问问你们吧。

恭贺丘吉尔先生和他所属的政党，希望他能让你们的日子好过些。"德尔"？你的祖先是威尔士人吗？

HH

海莲·汉芙小姐
美国，纽约州，纽约市 28
东九十五大街 14 号

1951 年 12 月 7 日

亲爱的汉芙小姐：

希望您会高兴得知，两箱鸡蛋和牛舌罐头已平安寄达，而我们也要再度向您道谢。

本店的一位老同事——马丁先生，躺卧病榻已有一段时日了，因此，我们一致决定让他多分得一些鸡蛋——其中一整箱。一如以往，对于这些难能可贵的物资，我们十分欣喜。牛舌罐头亦相当诱人，它们大大地补充了我们的贮粮。至于我自己，我则会将它们好好地收藏起来，以备特殊场合再派上用场。

我询问了此间所有的乐谱店，不过全都没有干净的二手精装版《弥赛亚》或巴赫的《马太受难曲》，然而我发现新书目前仍在市面上持续发行。价格虽略嫌高了些，但我想了想，仍为您买了下来，并在几天前寄发出去了，最近几天您应该就会收到这两本乐谱。一英镑十先令（约合美金四元二角）的账单亦会随书寄上。

我们将寄给您一件小小的圣诞礼物。这是一件刺绣品，我们会在邮包上注明"内装礼品"，希望这样可以避免您被课上关税。所有人都希望您笑纳这份薄礼，大伙儿同声向您道圣诞快乐，并祝您有一个美好的来年。

我的姓氏绝非源自威尔士，鉴于其发音近似法文"挪尔"，我想我的祖籍或许是法国也未可知。

马克斯与科恩书店

弗兰克·德尔 谨上

附在邮包里的卡片／内容物：手工精心刺绣的爱尔兰桌布

祝

圣诞快乐

并

新年心想事成

乔治·马丁　　梅甘·韦尔斯

比尔·汉弗莱斯　塞西莉·法尔

弗兰克·德尔　J.彭伯顿

海莲 · 汉芙小姐
美国，纽约州，纽约市 28
东九十五大街 14 号

1952 年 1 月 15 日

亲爱的汉芙小姐：

　　首先，我们都十分高兴您喜欢那块桌布。总算能够回赠您一件礼物，亦带给我们一丝欣喜——虽然比起您过去这些年来为我们的奉献，那实在是太微不足道了。您或许想知道那件桌布的来历，其实这是最近刚完成的作品，出自我的邻居——一位八十多岁老太太的巧手。她一个人独居，平日以女红自娱。虽然她做了许多手工刺绣，却几乎全都自己留着。她之所以愿意割爱，破例卖出这么一块桌布，乃是禁不住我太太的不断恳求。当然，您之前寄给我们的干燥蛋也使上不少助力。

　　如果您非到万不得已，一定要"清洗"您的《格罗里埃圣经》[39] 的话，我们会建议您用一般的肥皂和清水即可。做法是：加一茶匙的苏打粉到一品脱的温水中，用蘸了肥皂的海绵轻轻擦拭。我相信您会发现，这样可以有效地除去污渍。经过上述的处理后，您可以再用少许绵羊油为它上光。

J. 彭伯顿是一位女士，J是珍妮特的缩写。

祝您新的一年一切如意。

弗兰克·德尔 敬上

亲爱的汉芙小姐：

谢谢您长期不断地寄赠马克斯与科恩书店礼物包裹，并让我家也能有幸分得一部分。我长久以来就一直想写信给您，现在终于有正当理由可以动笔了。弗兰克跟我说，您很想知道绣了那块桌布的老太太的姓名、地址。那件刺绣的手工真的很漂亮吧？

这位博尔顿老太太就住在我们的公寓隔壁，地址是：橡原巷 36 号。当我告诉她，这件桌巾漂洋过海送给了一位好心的女士时，她好吃惊。如果能再亲耳听到您对她的手艺赞不绝口，我相信她一定会十分开心。

很感谢您说还要寄更多干燥蛋给我们。不过上回您送来的还剩一些，应该可以让我们享用到春天。四月到九月这段时间，我们并无须操心蛋的问题。如果偶尔因物资短缺而临时减少配给量，我们就会拿别的东西去跟别人换罐头。我曾经用一双丝袜在黑市换得一罐干燥蛋，当然这么做不尽合法，却是非常时期不得已的变通办法。

过些日子我会寄一些全家福照片给您看，我们的小女儿玛莉上周刚度过她的四岁生日；大女儿去年八月满十二岁了，名叫希拉，是弗兰克的前妻生的——她不幸在战时丧生了。战后我嫁给弗兰克，顺道有了个现成的女儿。去年五月，希拉在学校当着修女们的面（她念的是教会学校），说她要送一张卡片祝福爸爸、妈妈的结婚四周年纪念日。您不难想象，这可怜的小姑娘花了多少唇舌才解释清楚。

最后，祝您新的一年一切顺遂，并期盼不久后我们可以在英国相会。

诺拉·德尔 谨上

亲爱的汉芙小姐：

谢谢您的来信。我很感激您如此好心地告诉我：您十分喜欢我绣的桌布。我当初真该多花点儿工夫在那上头。我想，德尔太太一定也对您提过了吧，我是一个上了年纪的人，双手也不太听使唤，能做的活儿也不像以前那么多了。我用这双老手做的东西有幸能交到喜欢它的人手上，这真是一件令人欣慰的事儿。

我常见到德尔太太，而她也不时向我提起您。您若到英国来，或许我也能有幸见您一面罢。

再次谢谢您。

玛丽·博尔顿 谨上

听好了！玛克辛：

我刚和你妈妈聊过。她说你们的戏也许下个月就会结束公演；她还告诉我，你带走了两打丝袜。帮我一个忙，趁你的戏下档前，拿四双去书店交给弗兰克·德尔，就说是送给店里的三个女生和诺拉（他太太）的。

你妈妈还特别交代，要我用**不着**付钱给你。她说那些丝袜全是她自己去年夏天趁萨克斯百货店清仓大减价时便宜买到的，她决定要乐捐出来，好让她自个儿也能沾沾"共赴国难"的光。

等你回国就可以瞧见他们送我的圣诞节礼物了。这是一条漂亮的爱尔兰绣花桌巾，米黄色的底布上以手工绣着古典的花草图案——全是各自不同颜色、浓淡有致的花儿。保证你从没看过这么美的桌巾，我那张从旧货店买回来的破茶几就更**肯定**没见识过啦！我真迫不及待想披上维多利亚时代的水袖，优雅地举起手，幻想自己执着一只乔治王朝的古董茶壶，轻轻地斟上一盏茗茶……你快点儿回来吧！我们可以在家里扮一出斯坦尼斯拉夫斯基[40]！

埃勒里调高了我的剧本稿酬，现在是一集两百五十元。如果继续照着这样的调薪幅度，到了六月，也许我就可以启程赴英，自己去逛"我的书店"——如果我胆子够大的话。隔着三千英里的安全距离，我写了一堆没大没小的信，我大概只会悄悄溜进去又静静踱出来，而不敢告诉他们我是谁。

我实在不明白你怎么会在杂货铺里被搞得一愣一愣的呢？老板跟你说的不是"兔兜脚"，他说的是"土豆胶"！——我也认为这才是惟一合理的称呼。你动点儿脑筋想想：豆子长在土里，叫它"土豆"合情入理；从土里头挖出来，一直"搅"、一直"搅"，搅成"胶"状，不就成了"土——豆——胶"！这个词儿不是要比"花生酱"更贴近事实吗？你真是不懂国语！

xxx

h. 汉芙（必也正名乎的海莲）

P.S. 你妈妈今天一大早就打扮得花枝招展地出门，要为你在第八大道和五十大街一带找间公寓，因为你曾交代她去剧院区找。我说玛克辛啊，你该很清楚才对，她穿那一身行头在那种地方晃，谁还敢把房子租给她啊？

大懒虫!

依我看若要等到你寄书来,我都不晓得要超度几回了。我还不如干脆直接冲进布伦塔诺书店 [41],有什么就买什么,不管印得多糟!

你们不妨再加记一笔沃尔顿 [42] 的《五人传》到我那份"该寄而未寄"的书单里头。老实说,订这本书实在是违背了我的购书原则。我从来不买没读过的书——否则,不就和买了一件没试穿过的衣服同样下场吗?可是,这儿竟然连图书馆也借不到这本书。

要读的话倒是有。四十二大街上的分馆有一本,但,恕不外借!坐镇在柜台的女馆员用力摇了摇头,盛气凌人地说:"仅供内用!"然后只准我窝在密不通风的 315 号阅览室里啃完整本书。既不能边读边喝咖啡,抽烟就更纯属妄想了。

没关系,反正 Q 多次引用这本书里的段子,所以我肯定也会喜欢它。只要是 Q 喜欢的,我都照单全收——小说除外,我就是没法儿喜欢那些根本不存在的虚构人物操演着不曾发生过的事儿。

你们成天都没事干吗？是不是都窝在店里头看书？何不起身做点儿生意呢？

汉芙小姐上

（只有我的"朋友"才可以叫我"海莲"！）

P.S. 转告女孩们和诺拉，如果一切顺利的话，她们在大斋节都有丝袜可穿。

海莲·汉芙小姐　　　　　　　　　1952 年 2 月 14 日
美国，纽约州，纽约市 28
东九十五大街 14 号

亲爱的海莲：

　　我也十分同意，该是我们都摒弃无谓的"小姐""先生"敬称的时候了。不瞒您说，我本人实在并不像您长久以为的那样既木讷又严峻。只是我写给您的信都必须存放一份副本作为业务存档，所以我认为行礼如仪似乎比较妥当。不过，此封信既然与书店业务无关，自然毋须顾虑副本、存档的问题。

　　我们百思不得其解，不明白您如何隔海变戏法，让四双丝袜无中生有。我所知道的只是：今天中午我用过午餐回到书店，就赫然发现它们已经好端端地摆在我的办公桌上，上头还附着一张注明"海莲·汉芙赠"的卡片。没有人晓得它们是什么时候或是怎么来的。女孩们都吓呆了，我晓得她们正在打主意待会儿自行写信给您。

　　有一件令人遗憾的事要向您报告：久卧病榻的乔治·马丁先生上周在医院中病逝了。他在本书店工作已有多个年头。伴随着这个噩耗，国王的猝然驾崩亦使我们此刻都笼罩在一片哀戚之中。

　　我实在不知该如何回报您对我们的不断付出。我所能做到的，只是当您确定访问英国时，橡原巷 37 号将会有一个房间，可供您无限期地住宿。

全员共祝您一切美好

弗兰克·德尔

噢！真感谢你寄来的《五人传》。实在难以置信，这本一八四○年出版的书，经过了一百多年，竟然还能保持这么完好的书况！质地柔细、依旧带着毛边的书页尤其可人。我真为前任书主（扉页上还留着"威廉·T.戈登"的签名）感到悲哀，真是子孙不肖哟！竟然把这么宝贵的东西一股脑儿全卖给你们。哼！我真想趁它们被称斤论两前，拎着鞋溜进**他们**的书房，先下手搜刮一番！

这真是一本引人入胜的书。你可知道：当约翰·多恩带着他主子的掌上明珠私奔（人家好不容易老来得女的），他因此下狱被囚禁在伦敦塔。他在里头挨饿受冻，饿着饿着……居然就"得道"了！——不是沃尔顿的原句啦，这是我自己改编的说法。

注意！我附寄五元钞票一张。由于这本《五人传》赫然登场，害我原来那本《垂钓者言》相形见绌（认识你们之前买的，这是一本硬邦邦的"美国大众经典文库"版）。《五人传》跟它不登对，总嫌它在跟前晃来晃去，看了就讨厌。所以，多出来的两块半就帮我找一本好点儿的《垂钓者言》——劳您大驾啦。

你得当心了，如果电视剧续签，明年我就会杀到你们那儿去。到时候我会蹬着古董木梯，掸去你们的书架顶层的陈年积垢，顺便也把你们的优雅端庄一并一扫而光。我跟你提过我帮埃勒里·奎因的电视剧集编写巧艺谋杀吗？我所写的剧本总会安插艺术场景——芭蕾舞团啦，音乐厅啦，歌剧院什么的；连嫌疑犯或尸体也得写得文绉绉的。为了向你致敬，或许我该写一出发生在古书店里的谋杀案，怎么样？你要演行凶歹徒呢？还是要扮刀下亡魂？

hh

亲爱的汉芙小姐：

我实在不知道该如何表达我的感激，今天收到您寄给我的食物包裹，我有生以来从未收到过包裹。您实在不须为我这个老太婆如此费心。我也只能谢谢您的好意，并好好地享用您寄来的礼物。

感谢您为我设想如此周到。我拿您寄来的东西给德尔太太瞧，她也直夸您实在是一位大好人。

再次谢谢您，并祈祷您一切安好。

玛丽·博尔顿 谨上

海莲 · 汉芙小姐
美国 · 纽约州 · 纽约市 28
东九十五大街 14 号

1952 年 4 月 17 日

亲爱的海莲（您看，我已经不再"行礼如仪"了）：

我相信您一定会高兴听到这个消息：我们刚购入一批私人藏书，里头有一册非常好的《垂钓者言》，待我将收购手续办妥，本书可望于下周为您寄上。我们大概会标价二元二角五分，您账户中的余额仍够支付。

您为埃勒里 · 奎因写的剧本似乎挺有意思。我希望这部剧集也能在我们这儿播映，它也该改善其沉沉死气了（我是指我们的电视节目，不是您写的剧本）。

诺拉和所有人与我同祝您一切美好。

弗兰克 · 德尔　敬上

亲爱的海莲：

　　谢谢您寄赠的干燥蛋罐头，包裹在两天前收到了。尽管难掩喜悦之情，但我实在觉得很难为情，因为我竟向您提起蛋源短缺的事情。不过今年倒是还没发生减量配给的情形，所以我们就当成是上天的恩赐，用它们多烤了个蛋糕什么的。弗兰克还拿了一些去办公室，打算要寄给塞西莉，他老是忘了把她的地址带回家。我想您应该也听说了吧，塞西莉离职了，她正打算随丈夫调防到中亚去。

　　我附了几张相片，弗兰克说这些照片全没把他拍好，还说他本人比照片好看多了。不打紧，我们就让他说梦话好了。

　　希拉的学校放了一个月的假，以前我们全家偶尔会一起到海边走走或随处晃晃。但是现在恐怕也不能那么常出游了，因为交通费得吓人。我们一直有买车的念头，但车价也不便宜，物色一部性能尚可的二手车或许比较可行。大部分新车都出口到国外，国内只能分到少量的配额。我们有一些朋友，光是为了订一部新车，就等了五六年。

　　希拉现在要为您朗读一篇《丰收祈祷文》，祈祷您可以如愿到英国一游；而且在复活节时，我们也已经借花献佛，用您送给我们的咸肉罐头犒赏过神明了。所以，如果再加上《丰收祈祷文》奏效，老天将会保佑您获得一笔意外之财，这样您和我们很快就可以见面了！

就此停笔并再次感谢您。

诺拉

亲爱的弗兰克：

　　本打算一收到书就写信给你的，就是想跟你道句谢谢，《垂钓者言》里的木刻版画太棒了，光这些插图的价值就十倍于书价。我们活在一个诡异的世界——这么漂亮，又能终生厮守的书，只须花相当于看场电影的代价就能拥有；上医院做一副牙套却要五十倍于此。

　　唉！如果你们依照每本书的实际价值去标价的话，我肯定一本也买不起。

　　如果你知道我这个一向厌恶小说的人终究回头读起简·奥斯汀来了，一定会大大地惊讶。《傲慢与偏见》深深虏获了我的心！我千不甘万不愿将我手头上这本送还给图书馆，所以你快找一本卖给我。

　　代我问候诺拉和办公室里可怜的上班族们。

HH

亲爱的海莲：

我要再一次对您寄给马克斯与科恩书店，并让我们家分享的物资向您道谢，我真希望能回寄点儿什么报答您。

对了，海莲，这个礼拜我们终于荣登有车阶级了。虽然不是一部新车，没什么好到处吹嘘的。不过，车子只要能跑就行了，您说是不？怎么样，您现在比较愿意来找我们玩了吧？

前一阵子，我有两名亲戚从苏格兰南下来看我们，博尔顿老太太心肠很好，肯让他们在她家叨扰几个礼拜，他们说住在她那儿很舒服。他们那一阵子就吃我家，睡博尔顿老太太家。如果您手头方便，可以赶明年儿，趁着女王登基大典时一块儿来凑凑热闹，博尔顿老太太说她会为您将房间准备好。

好了，不多说了，寄上我的祝福和感谢——谢谢您送的肉与鸡蛋。

诺拉 谨上

海莲·汉芙小姐

美国，纽约州，纽约市 28

东九十五大街 14 号

1952 年 8 月 26 日

亲爱的海莲：

　　我又要再度代表我们这儿所有人，写信向您道谢了，三件甚获欢迎的包裹几天前寄达。您实在太好心了，将辛苦挣来的钱花在我们身上。我们都非常感激您对我们的关怀。

　　这几天，店里进了三十几册"洛布经典文库[43]"，可是，唉，里头不巧就缺了贺拉斯[44]、萨福[45]、卡图卢斯[46]。

　　从九月一日起，我会休几个礼拜的假。可是因为我最近买了车，家中经济失血甚多，所以不能再大事铺张。诺拉有个姐姐住在海边，我们都冀望她会怜悯我们无处可去而邀我们去玩。这是我头一回买车，所以全家都非常兴奋——尽管这是一九三九型的老款车，但只要它不会老是半路抛锚，我们就该偷笑了。

　　全心祝福您

弗兰克·德尔

弗兰基[47]，猜猜看，当你溜去度假时，谁上门来啦？萨姆·佩皮斯是也！不管是谁代你寄的书，可别忘了要谢谢人家。这些书上个星期就到了，三册扎扎实实的海军蓝布面精装本，用四大页四开报纸裹着。我边吃午饭边读旧报；晚餐过后，开始和萨姆神交。

他要我转告你：他非常高兴能来到敝宝地，他的前任主人是个大草包，连书页都懒得裁开。我将它们一一裁开，内页用的是薄得几可透光的印度纸——我们这儿管这种纸叫"洋葱皮"，真是恰如其分。要是换成厚一点的纸张，难保不变成六册，甚至七册，印度纸果然功德无量。我只有三座书架，可是实在已经找不到可以让我清掉的书了。

每年一到春天，我就会"大清仓"，把一些我再也不会重读的书全丢掉，就像我也会把再也不穿的衣服扔了同样道理。倒是旁人都很惊讶，依我看，他们爱惜书本的方式才奇怪呢。他们买一堆新出版的畅销书，囫囵吞枣似的看完，我常想：他们也未免读得太潦草了吧。然后呢，因为他们从不重读那些书，不消一年，书里头的内容早就被他们抛到九霄云外！不过，当他们看见我把书一箱一箱地往外扔时，却又露出一副"这怎么得了！"的表情。要是照着他们的做法：买了一本书，好——读过了，好——上架，好——没事了，一辈子也不会再去碰它第二回，可是呢，"丢掉？万万使不得呀！"为什么使不得？我个人坚信：一本不好的书——哪怕它只是不够好，弃之毫不足惜！

你和诺拉过了一个不赖的假期吧？我自己则全消磨在中央公园里。我的宝贝牙医师放了我一个月的假，他却欢欢喜喜带着娇妻度蜜月去了，旅费是我出的——我有没有提过？好几个月前，我发现牙齿一颗接一颗全坏光了，我要么乖乖装上牙套，要不然就得全部拔光！因为还不想当个无齿之徒，我最后还是决定装牙套。可是诊疗费简直是天文数字！看来伊丽莎白只好在我没来的情况下登基了，我呢，今后几年里也只能留在这里看着我的牙齿一一加冕了。

不过我可没打算停止买书！连牙齿都弃我而去了，总该给自己留点儿什么呀！你能为我找到萧伯纳的剧评和乐评吗？我想他应该写了好几本，把你所能找到的都寄给我。还有！弗兰基，漫漫冬天眼看着又要来了，我兼差帮人带小孩时可不能闲着，所以，**急需读物**！——**快，别老坐着，起身帮我找找书**！

hh

此致"伦敦查令十字街 84 号的众好友们":

　　一拆开包装,《爱书人文选》款款现身——镶金边的皮面、上金漆的上书口……轻而易举勇夺"我的藏书选美"的后冠,连首版的《大学论》也甘拜下风。它看起来仍如此清新、纯朴,宛若从未遭染指——不过我知道,它的确曾被频繁地悉心翻阅过:因为一打开书页,总会落在某几个特定段落,冥冥之中似有前任书主的幽灵导引我,领我来到我未曾徜徉的优美辞藻,例如特里斯特拉姆·项狄描述他父亲富丽堂皇的书房:"架上罗列多善本,箧中广纳皆美卷。"(弗兰克! 快去找一本《项狄传》[48] 给我!)

　　我打心里头认为这实在是一桩挺不划算的圣诞礼物交换。我寄给你们的东西,你们顶多一个星期就吃光抹净,根本休想指望还能留着过年;而你们送给我的礼物,却能和我朝夕相处,至死方休;我甚至还能将它遗爱人间而含笑以终。

　　谢谢你们,祝你们新年快乐。

　　　　　　　　　　　　　　　　　　　　　　　　　海莲

亲爱的海莲：

很抱歉这么久都没捎个只字片语给您。希望阿德莱[49]败选不至于让您太难过，也许下一回他可以东山再起。

博尔顿老太太跟我说，如果明年夏天您来英国时，她仍健在的话，很欢迎您住在她家。她是我所认识的最长寿的人，我还不晓得有谁能像她活那么大岁数儿，我相信她一定能活到一百岁的。无论如何，我们都会把您的住宿问题打点好。

谢谢您寄给我们这么好的圣诞礼物，您实在是个大好人。海莲！如果您明年来英国的时候，马克斯与科恩书店的人没好好地为您设宴接风的话，他们就太该死了。

我希望您将有个快乐的圣诞节。下回再聊了，献上我们的祝福和感激。

愿上帝保佑您。

诺拉

弗兰基，告诉你个包准让你乐翻的消息——

首先，随信寄上三元钞票。邮包已收到，这本书长得就像简·奥斯汀该有的模样儿——皮细骨瘦、清癯、纯洁无瑕。

好，进入正题——埃勒里的电视剧集停播了。正当我青黄不接，又为了支付看牙的庞大开销而焦头烂额的当头，有人找我为一个新的节目拟个草案——将名人轶事编成电视单元剧。所以我快马加鞭，完成一个故事大纲。送出之后，电视公司接受了；于是我又写了一个完整剧本，他们也颇为满意——所以再过个把月，新差事就有着落了。

而你猜我改编哪一个故事？"多恩与领主千金私奔记"——灵感来自沃尔顿的《五人传》！电视观众大概没几个人晓得约翰·多恩是谁，不过，拜海明威之赐，大家都听过"没有人是一座孤岛 50"。我只消将这句名言编进剧本里，便顺利卖出啦！

于是，约翰·多恩成功登上"不朽名人堂"，我也依约拿到一笔酬劳——价码大约是我前前后后花在你们店里的书款外加五颗牙！

我打算半夜爬起来听收音机的现场实况转播，和你们一块儿参加加冕典礼 [51]，同时惦念着你们所有人。

祝开心

hh

海莲·汉芙小姐
美国，纽约州，纽约市28
东九十五大街14号

1953 年 6 月 11 日

亲爱的海莲：

　　您的包裹于六月一日平安抵达了，正好赶上加冕大典。

　　当天家里来了不少朋友，和我们一起收看电视转播。我们用您寄来的火腿做了些三明治供大家享用，每个人都直说美味极了。于是我们全体举杯同祝您及女王都凤体康泰。

　　您实在太仁慈了，竟将您的辛苦所得拿来关照我们。所有同仁与我在此同声向您道句：万分感激。

　　祝福您

弗兰克·德尔　谨上

亲爱的海莲：

我必须赶紧通知你：今年圣诞节可千万不许再寄礼物来。所有的东西都已经不用配给了，稍好一点的店里头也能买到丝袜。请攒下你的钱，现在最要紧的就是等你治好牙齿之后，能到英国来。只是别挑明年来，因为那时我不在国内。后年我才会回国，这样子你来了才能住在我们家。

道格写信告诉我，我们候补的家庭宿舍就快有着落了，孩子们和我希望能在圣诞节前就搬去和他团聚。他现在暂时被调到巴林岛（在波斯湾，你可以在地图上找找看）的基地，日子过得愉快惬意。等到家庭宿舍一分配下来，他便会回到哈巴尼亚（在伊拉克）的皇家空军基地和我们会合。一切都很顺利。

要写信给我哟，即使我暂时"出局"了，妈妈也会把你的信转寄给我的。

思念并祝福您

塞西莉

你们店里一直发行这么棒的目录，却直到现在才寄给我！难道你还好意思跟我说你老是忘了吗？汝等无赖！

忘了哪个复辟时代的剧作家老爱用"汝等无赖"这个词儿数落别人，我好不容易终于逮到机会可以用它来造个句儿。

话说回来，这整本目录里头只有这本卡图卢斯我有点儿兴趣——虽然不是"洛布经典文库"版，不过看起来还算差强人意，如果这本书还在的话就寄给我。至于书价六先令两便士，只要你换算成美金，我马上付——凯特和布莱恩搬到郊区，这下子没有人可以帮我换算了。

如果你从下个月起每个星期都能携家带眷乖乖上教堂，我会十分感激你。请一起为吉廉、李斯、史奈德、坎帕内拉、罗宾逊、哈吉斯、费里罗、帕德瑞斯、纽坎姆与拉宾——布鲁克林道奇队全体球员祷告，祈祷他们身强体健并获天助神力。要是他们打输了世界大赛，我也不想活了，到时你再后悔就来不及了。

你们有德·托克维尔[52]的《美洲见闻录》吗？有人把我原有的一本借走了赖着不还。我实在百思不解，再怎么循规蹈矩的人一霸占起书来都是一副理直气壮的气派。

代我问梅甘好，要是她还在店里头帮忙的话。还有，塞西莉现在怎么样了？从伊拉克回来了吗？

hh

海莲·汉芙小姐
美国，纽约州，纽约市 28
东九十五大街 14 号

1955 年 12 月 13 日

亲爱的海莲：

　　十分抱歉没能早一点写信给您。不过请您先别忙着动气，因为我生了一场小病，请了几个礼拜病假在家。一回到店里又被一堆待补办的公事绊住。

　　关于目录里登载的那本卡图卢斯，收到您的信之前就已经被买走。但我仍为您找到另一个版本寄去——这也是一本附拉丁原文的版本，韵诗部分由理查德·伯顿爵士[53]翻译；内文则为伦纳德·史密瑟[54]翻译，大字印刷，标价三美元七十八分。装帧并非十分漂亮，但品相尚称良好。我们目前没有德·托克维尔的书，将会为您留意。

　　梅甘仍在书店，但是她正打算搬到南非定居，大家都还在劝她打消念头；自从塞西莉随丈夫去了中亚之后，我们就再也没有她的消息，转眼间她竟然已经离职一年了。

　　我很乐意为布鲁克林道奇队加油——如果您也愿意为"热刺队"（托特纳姆足球队）打气的话。他们目前在联盟的排名敬陪末座，不过，球季尚未结束，同志仍须努力。希望他们在明年四月前能扭转颓势。

诺拉、所有人和我在此祝您圣诞快乐、恭贺新禧！

弗兰克·德尔 谨上

我现在趴在床脚下写信给你——这本卡图卢斯害我气得滚下来。

译得诘屈聱牙的，真教人伤脑筋！

到目前为止，我只听过一个名字也叫理查德·伯顿的帅哥演员——我曾在几部英国电影里头看过他，我想维持这么点交情也就够了。至于这个翻译者理查德·伯顿，他译得也未免太花哨了吧。

而可怜的史密瑟先生，他一定害怕他妈妈会读这本书，所以忍痛把那些原本应该活色生香的文章译得道貌岸然。

咱们这么着吧，你索性找一本好的通俗拉丁文版的给我。我自己有一本卡塞尔氏拉丁文字典，那些难懂的段落，我自个儿去整明白得了！

梅甘头壳坏掉了吗？ 如果她真的那么厌烦文明世界，怎么不干脆搬去西伯利亚！

行行行！没问题！我会当热刺队的拉拉队！

正努力攒钱当中。如果电视台继续赏我饭吃，明年夏天我就可以成行了。我要去亲眼瞧瞧贵书店、圣保罗大教堂、国会殿堂、伦敦塔、柯芬园、老维克剧院[55]……还要见见博尔顿老太太。

　　附寄十元大钞一张。这本白色软精装的卡图卢斯，居然还配着白色的丝质书签带……弗兰基，你打哪儿找来这些玩意儿啊？

                                                              hh

海莲·汉芙小姐

美国，纽约州，纽约市 28

东九十五大街 14 号

1956 年 3 月 16 日

亲爱的海莲：

很抱歉又隔了好一段时间才回您的信。因为直到今天，我们才有好消息可以向您报告。原先我还在犹豫，是不是该等到卡图卢斯的书也一并找到时再写这封信比较好。

我们终于寻获一本版本相当不错的《项狄传》，附有罗布的插图，价格约合美金二元七十五分。同时我们也收到一册柏拉图的《苏格拉底四论》，译者是本杰明·乔伊特[56]，一九〇三年在牛津出版。此书标价一美元，您是否要买？您在敝店户头内尚有美金一元二十二分的余额，如您两册都购买，仅需再付给我们美金二元五十三分。

我们仍翘首期盼您今夏能来，我家的两个女孩儿都离家住校，所以届时橡原巷 37 号将会有两间卧房任您挑选。很遗憾地向您报告：博尔顿老太太已被送到老人之家，我们都很难过，但毕竟她在那儿能得到比较好的照料。

弗兰克·德尔 谨上

亲爱的 弗兰克：

布莱恩介绍我读肯尼思·格雷厄姆[57]的《杨柳风》，因此我迷上了谢泼德[58]的插图，决定自己也要买一本。但是！先别忙着寄来，帮我保留到九月，届时我会迁入新址。

原本住得舒舒服服的旧公寓老命不保喽。上个月所有住户都收到了搬迁通知，现址要盖新大楼。我想也是该为自己觅一间好公寓、买几件好家具的时候了。于是我打铁趁热地在第二大道的一处工地，订了一间连影儿都还没有的客卧两用预售屋。我现在忙着四处张罗新家具和书架、地毯，几乎把钱都花光了。可是，我一辈子都跟摇摇晃晃的桌椅、到处爬满蟑螂的厨房为伍，现在我想过点儿像样的日子。至于英国之旅，只好等着有人招待我去了。

与此同时，我的房东怕大家赖着不走，索性把门房给解雇了，害得垃圾和热水都没人打理；还打算要把信箱间、走道灯和我的厨房与卧室间的隔间墙全拆了（本周即将发生）；这些烦心的事加上眼睁睁看着道奇队兵败如山倒，真是心酸谁人知噢……

对了，新地址如下：

纽约州，纽约市 21，东七十二大街 305 号（九月一日启用）

海莲·汉芙小姐
美国，纽约州，纽约市21
东七十二大街305号

1957 年 5 月 3 日

亲爱的海莲：

　　预备好大震一惊：您上回信中提到的三本书，一口气全都找到了！而且已经在上周寄去给您，现在应该正在途中。别惊讶我们究竟是怎么办到的，这理应是本店的服务项目之一。账单附在此信中，扣除账户余额之后的书款为五美元。

　　几天前，有两位您的朋友到店里来探望我们——很抱歉我现在不记得他们的大名了，是一对很可爱的新婚夫妇。不过，可惜他们行程匆忙，只能在我们这儿稍坐片刻，抽根烟的光景，就必须告辞了。

　　今年的美国游客似乎较以往更多了。我曾见到由上百位律师组成的旅游团，每个人西装上都别着一块大大的名牌——上头写着他们的姓名和居住的城镇名。他们好像都玩得颇开心，所以明年您一定也要来一趟。

　　致上全体的祝福

弗兰克

寄自埃文河畔斯特拉特福[59]的明信片

1957.5.6

被你知道了一定会挨你臭骂一顿！——我们去了你的书店。我们一说出是你的好友，便被大家团团围住。你的弗兰克邀我们去他家过周末；老板马克斯先生特地从里头走出来，他说他一定要和"汉芙小姐的朋友"握握手；他们所有人都一副要好好地款待我们才肯善罢甘休的样子，我们差点儿就葬身在难却的盛情之中！

我猜你一定也很想亲眼瞧瞧你口中"可爱的威廉[60]"降生的房子吧。

现在正在前往巴黎的途中，接着去哥本哈根，预计二十三日回国。

爱你的

金妮与埃德

海莲·汉芙　纽约州，纽约市 21，东七十二大街 305 号
1958 年 1 月 10 日

嗨，弗兰基——

快叫诺拉更新通讯簿里的地址，你们家的圣诞卡寄到旧址去啦！她写成了东九十五大街 14 号。

忘了是不是说过了，我好喜欢那本《项狄传》，罗布的插图简直美得令人销魂，托比叔叔[61]地下有知也可含笑瞑目。我在信纸背面列了几本"麦克唐纳绣像经典"的书。其中有一本《伊利亚随笔》[62]，有"麦克唐纳绣像经典"版最好，若是有其他不错的版本也行，但价格得"合理"我才会考虑——现在已经找不到"便宜"的东西了，所有的东西都标榜"价格公道"，要不然就是"收费合理"。对街又在盖大楼了，他们立了一块大招牌，上头写着斗大的字：

"一房一厅或两房一厅任君选择／租金合理"

房租什么时候"合理"过？其他东西也没好到哪儿去。尽管招牌上吹得天花乱坠，终究只是个广告文案。

我一路活来，眼看着英语一点一滴被摧残践踏却又无力

可回天。就像米尼弗·奇维[63]一样，余生也晚。而我也只能学他"干咳两声，自叹一句：奈何老天作弄"，然后继续借酒浇愁。

hh

P.S. 喂，柏拉图的《苏格拉底四论》的下落呢？

海莲·汉芙小姐
美国，纽约州，纽约市 21
东七十二大街 305 号

1958 年 3 月 11 日

亲爱的海莲：

先在此向您致歉，无法及早回信。我们前一阵子都累垮了，诺拉生了一场病，在医院里待了几个月，而我只好暂时请假在家代理家务。她现在已经复元得差不多了，再过个把礼拜就能出院回家。这段时间真够折腾我们两人的，不过还真得感谢国民保健制度，我们几乎没花自己一毛钱。

关于"麦克唐纳绣像经典"，我们偶尔能收购到一些，不巧现在手头上都没有。而兰姆的《伊利亚随笔》本来也有好几本，但上回旅游旺季时全被买走了。下周我还会出差一趟，届时再为您尽力搜寻。另，柏拉图的书也会为您留意。

所有人齐祝您有一个愉快的春假，女孩儿们要我转告：她们对您感到很抱歉，粗心将圣诞卡寄到旧地址去了。

弗兰克 敬上

亲爱的海莲：

　　谢谢您接连寄来两封问候信。也很感激您的好意，不过说真格的，海莲，我们现在什么都不缺。我真希望我们能自己开一家书店，这样我们就能送几本书给您，多少报答您的一片好心。

　　随信附上几张全家福照片。本想寄些拍得更好的，但是比较好一点的都被亲戚们要走了。你一定也发现了吧，希拉和玛莉竟然长得那么像，这实在是一件很奇妙的事。弗兰克说，玛莉现在长得就像是希拉在她这个年纪时的模样。希拉的母亲是威尔士人，而我的老家则是在爱尔兰，所以她们一定得自弗兰克的遗传多些，不过她们都比弗兰克要漂亮多了，当然弗兰克死都不肯承认的！

　　要是您晓得我写这样一封信得绞尽多少脑汁，一定也会可怜我的。弗兰克老爱笑我：成天叽里呱啦地说个不停，怎么一拿起纸笔就不灵光了呢？

再次感激您的问候和您的来信。

上帝保佑您!

诺拉

海莲·汉芙小姐
美国，纽约州，纽约市 21
东七十二大街 305 号

1959 年 3 月 18 日

亲爱的海莲：

我实在不知道该如何向您启齿。就在上一封信向您报告，为您的朋友找到了《简明牛津辞典》之后隔两天，我才一转身，这本书就被别人买走了。我之所以这么晚才回信，也是因为希望能尽快再另寻一本，可惜至今仍一无所获。辜负了您的朋友，我感到万分愧疚，当时我实在应该先把书收起来的。

我们今天会将约翰逊的《莎士比亚评传》寄出，正好敝店内有这本附沃尔特·雷利 64 导言的牛津出版社版。定价为一元五分，您的账户内尚有余额足够支付此书。

您参与的电视节目将移师到好莱坞，大家都觉得很可惜；夏天又快到了，预料将会有更多美国游客到英国来，然而我们所期盼的"那位美国游客"却仍独独教我们望穿秋水。我很能理解您不愿离开纽约搬到南加州的心情。我们也在此祝您好运，并希望您很快可以再找到类似的工作。

弗兰克 谨上

海莲·汉芙　纽约州，纽约市21，东七十二大街305号
1959 年 8 月 15 日

仁兄：

告诉你吧，我又有活儿可干啦！

是我凭实力挣来的。我得到一笔 CBS 提供的编剧奖助金——为数五千美元，供我未来一年将美国历史编写成电视剧本。我头一个要写的题材是英国占领期间的纽约。我一边写一边踟蹰——贵国同胞于一七七六到一七八三年在这儿的行径那般龌龊不堪，而我偏挑这一段来写，实在有点儿对不起你们现在待我如此温良友善，体谅慈悲。

你们可有白话版的《坎特伯雷故事集》？实在罪过，我从没读过乔叟。我想学古盎格鲁－撒克逊或（和）中世纪英语的念头叫一位要拿它做博士论文的朋友给打消了。教授们对她说：关于古盎格鲁－撒克逊，想写什么题目都行。"乍听之下似乎很棒，"我的朋友哭丧着脸告诉我，"可是惟一能找到够多古盎格鲁－撒克逊语的文章，尽是些'烧教堂、砍人头'的玩意儿。"

她还跟我讲了一堆贝奥武甫和他的私生子希卫斯（还是卫希斯？）的故事[65]，她说那些也没啥看头。经她冷水一浇，

我的兴致也全没了。所以给我白话版的《坎特伯雷故事集》
就行了。

　　代我问候诺拉。

hh

海莲·汉芙小姐
美国，纽约州，纽约市 21
东七十二大街 305 号

1959 年 9 月 2 日

亲爱的海莲：

　　大家都很高兴听到您得到一笔奖金，而且也有工作了。

　　对于您所挑选的任何写作题材，我们完全不会介意。但我必须向您报告，店里的年轻同事们坦承：若不是您在信中提及，他们浑然不知英国竟然曾经"占领"过美国。

　　关于您的疑问，似乎所有最顶尖的学者对于将乔叟的文章译成白话文都避之惟恐不及。但是，在一九三四年由希尔改写、朗文出版社出版的《坎特伯雷故事集》，应该是目前惟一能找到的白话版了。我认为还算是不错的书，此书现已绝版（这自然不在话下），我将为您找一本书品较好的。

弗兰克　谨上

我快没辙啦！弗兰基——

有人送我这么一本书充当圣诞礼物。这是一本"巨匠现代文库"，你可曾见过这种版本？装帧比起纽约州议会公报好不到哪儿去，重量倒是略胜一筹。一个爱附庸风雅的家伙，听说我喜欢约翰·多恩，不知打哪儿找来送我。书名是：

<blockquote>
约翰·多恩

诗全集、文选

与

威廉·布来克

诗全集？
</blockquote>

问号是我自己加上去的。你学问大，能不能告诉我：这两个老小子浑身上下有哪一点相同，得这样子凑合在一块儿？——只因他们俩都是英国佬，也都舞文弄墨？我努力读着导论，想找出些蛛丝马迹来。导论洋洋洒洒共分成四大章：头两章巨细靡遗地描述了多恩的学术生涯；第三章开头是这么写

的（我真不想引述）：

"话说少年布来克，在茵茵夏日草原，于树下邂逅先知以西结[66]，而遭母亲深深责痛打。"

我百分之百支持他娘。我的意思是：就算没瞻仰到上帝的后背，好歹领教一下圣母的尊容也不赖呀——谁叫他好死不死见到什么鬼先知以西结？

反正我不喜欢布来克，他还真是让这本书减色不少。看来我势必又得清掉一些书啦，弗兰基，你得伸出援手。

我现在蜷瘫在安乐椅里，聆听着收音机传出恬淡闲适的古典音乐——大概是科莱利[67]吧……慵懒地享受这天下太平的短暂时刻。而这玩意儿——"巨匠现代文库"就站在桌上直盯着我瞧。我心想："好吧，不妨朗读第十五篇布道词中的那三个标准段落好了。"多恩的文章合该大声朗读，它简直就像是巴赫的赋格！

可是你晓不晓得，这个无端之举给我自己惹来什么天大的麻烦？

打开"巨匠现代文库"，翻到"布道文第十五篇"——

竟被肢解成三个选段。读到第一段末尾，才发现"耶洗别[68]篇"被删掉了；我赶紧找来另一本多恩的《布道文选编》（罗根·皮尔叟·史密斯编），花了二十来分钟拼命找"布道文第十五篇"……搞了半天才发现：原来，照史密斯的编法，它不叫"证道文第十五篇"，而是"第126节：人必有终"。好不容易找到了，却——同样没有"耶洗别篇"。再搬出《约翰·多恩诗全集暨文选》（典范版），依然少了那段"耶洗别篇"；转而向《牛津英语诗选》求助，再度穷花二十分钟，因为在这本书里，既不叫"布道文第十五篇"，也不叫"第126节：人必有终"……好歹"耶洗别篇"总算是找着了，于是开始正襟危坐大声朗读……读到末尾，嘻，又不行了——这本书没有第二、第三段！所以略，我若要从头到尾朗读一篇完整的布道文，得将三巨册全摊开，翻到正确的页面，然后绕着它们来回奔波！

请好心告诉我：一本完整收录约翰·多恩布道文的书有那么难找吗？我得花多少钱才买得到？

我得去睡了。我会做一个可怕的噩梦——披着道袍的妖魔鬼怪，拎着一把把血淋淋的屠刀——上面分别标示着"段""节""选""删"等字眼，霍霍朝我追来……

祝好

h.hffffffffffffff

海莲·汉芙小姐

美国，纽约州，纽约市 21

东七十二大街 305 号

1960 年 3 月 5 日

亲爱的海莲：

　　我又迟回您的信了，因为我希望能等到有好消息再向您报告。我找到一本萧伯纳与埃伦·特丽[69]的书信集，虽然装帧不特别吸引人，但书品完好。我想这一次我还是尽快将书寄给您为妙，因为这是一本颇抢手的书，要等到下一本出现，恐怕得花一段时日。扣掉书价的二元六十五分，您的账户余额尚余五角。

　　关于收录完整的多恩布道文，恐怕只能在《约翰·多恩全集》中才能找到，而这套书共有四十余册，若书况稍好些的也必然所费不赀。

　　我们希望您后来没耗费太多心神在那本"巨匠现代文库"上，好好地过了一个愉快的圣诞节和新年。

　　诺拉也要祝您一切顺遂。

弗兰克　谨上

海莲·汉芙　纽约州，纽约市 21，东七十二大街 305 号

　　德·托克维尔阁下在此致意，宣告他已安然渡抵美利坚。他顾盼满志地坐谈时事，而他的臧否都卓然成理。尤其当他论及"律师治国"时，我只有额手、点头的分儿。我参加了一个民主党的小型聚会，前几天晚上，出席的十四个人里头有十一个是律师；回到家在报纸上读到一堆名人励志故事——有为青年怀抱鸿鹄之志，力争上游，终于晋身一国之尊——史蒂文森 [70]、汉弗莱 [71]、肯尼迪、史塔生 [72]、尼克松……一整票人除了汉弗莱，全是干律师的。

　　我附上三块钱钞票，这是一本漂亮的书，实在不能算是"二手书"，连书页都还未裁开哩。我有没向你说过，我终于找到方便好用的裁页刀了？这是一把珍珠柄的水果刀，我母亲留给我一整打这种刀，我挑了一把搁在案头的笔筒里。大概是交游不力吧，我好像没有机会请来十二位宾客，让他们围坐在餐桌前集体切水果哩。

　　笑口常开

hh

弗兰克？

你还在吗？

　　我答应自己在找到工作前不再写信给你的。

　　终于卖了一篇稿子给《哈泼杂志》。被这篇稿子折腾了三个星期，他们付给我两百美元稿费。现在他们再度向我约稿，要我将生平事迹写成一本书，他们将"预付"给我一千五百美元！并预估我不用半年就能写出来，我是无所谓啦，不过房东可又要头疼了。

　　所以这阵子暂且不能买书了。去年十月，有人介绍我读圣西蒙公爵路易[73]的书，不过这是一本乏善可陈的节译本。于是我火速赶往学会图书馆，因为这个图书馆不仅全馆开架，还让我爱借多少就借多少，我在那里找到货真价实的路易。现在我已经对他不可自拔。正在读的这一套是六卷版，昨晚读到第六卷一半时，一想到等我把书归还后，家里就连一本路易也没有了，这实在令我难以接受。

　　我现在读的是弗朗西斯·阿克赖特的译本，他的译笔甚雅。不过我放手让你挑你信得过的版本。但先别忙着寄来！找到后暂时搁着，先报价，然后再一本一本卖给我。

希望诺拉和女孩儿们都——还有你和其他所有认识我的人一切安好。

海莲

海莲·汉芙小姐

美国，纽约州，纽约市 21

东七十二大街 305 号

1961 年 2 月 15 日

亲爱的海莲：

　　您听到这个消息一定会开心的：我们在店里恰好有一部《圣西蒙公爵回忆录》，译者正是阿克赖特。六卷全帙，装帧精良且品相完好。我们将于今天寄给您，大约一两个礼拜可望寄达您的手中。这套书的价格约合十八元七十五分，但请勿挂怀书款，您在敝店的付款记录一向良好。

　　同时，很高兴又有了您的消息。我们大家都很好，依然盼望您能到英国一游。

　　所有人诚心祝福您。

弗兰克

海莲·汉芙　纽约州，纽约市 21，东七十二大街 305 号
1961 年 3 月 10 日

亲爱的弗兰基：

附上"千万不能掉了"的十元钞票，它务必平安到达你们手里。倒不是最近发了什么横财，而是路易不让我留他一个未赎之身。他在法庭上受够了俗不可耐的赖债痞子，可不希望保持了两百七十年的清誉毁于一旦。

《哈泼杂志》指派给我的编辑昨晚来家里吃饭，和我讨论"我的生平故事"，于是想起你。我们聊到我曾为电视节目《不朽名人堂》改编兰多的《伊索与萝多彼》（我好像告诉过你了？）——兰多笔下那个天真浪漫的萝多彼由萨拉·丘吉尔[74]饰演。这一集节目在某个周日下午播出。就在播出前两个钟头，我翻着《纽约时报》周日书评版，在第三版中有一篇针对波莉·阿德勒关于娼妓业的新书《野花莫如家花香》[75]的书评，附了一帧照片——一尊希腊的女人头像，图说这么写着："萝多彼——希腊最艳名远播的娼妇。"兰多本人对此倒并未详加着墨，许多学者咸称：兰多笔下的萝多彼其实就是让萨福的兄弟千金散尽的众女子的综合体。我既非学者，而且多年前死记强背的希腊文语尾变化，我也早忘得一干二净啦。

我对金（我的编辑）谈起这段轶闻，她问我："兰多到底是何方神圣啊？"我不厌其详地为她细说从头——正当我苦心孤诣一头热滔滔不绝时，她竟不耐烦地插嘴说：

"你还真的中毒不轻哎。"

唉，这下子你该明白了吧，弗兰基，这个世界上了解我的人只剩你一个了。

XX

hh

P.S. 金小姐乃中国人是也。

海莲·汉芙小姐

美国，纽约州，纽约市 21

东七十二大街 305 号

1963 年 10 月 14 日

亲爱的海莲：

当您收到弗吉尼亚·吴尔夫的《普通读者》[76] 上、下两卷时，一定会十分惊喜——它们已在寄往您的路上。如果您还有其他想要的书，我也会倾全力尽速为您服务。

我们都很好，仍是活蹦乱跳的。我的大女儿希拉（现在已经二十四岁了）两年前突然决定改行当老师，便辞掉原来的秘书工作，跑去念大学了，她还得待在学校一年。看来，要靠儿女供养我们这些老人家颐养天年的日子还有得等哩。

所有人诚心祝福您。

弗兰克

海莲·汉芙小姐   1963 年 11 月 9 日
美国，纽约州，纽约市 21
东七十二大街 305 号

亲爱的海莲：

　　许久以前您曾询问过白话版《坎特伯雷故事集》，前几天我们收购了一部，心想您或许仍想买。虽然这并非是收录所有故事的完整版本，但价格十分便宜而且编写似乎还算严谨。我今天会将它寄给您，书价是一元三十五分。如果您读了之后，还想要更完整的乔叟作品，我会尽力去找。

弗兰克　谨上

行了！白话版的乔叟真是够了！简直就像兰姆的《莎士比亚故事集》嘛——适合学龄儿童阅读！

充其量就是故事嘛，我讨厌虚构故事这事儿你是晓得的。倒是里头描述一个吃相优雅、食不沾手的修女的那段还算有趣，换了我就不行，还是得动刀舞叉才成。其余内容全引不起我的兴趣，我就是不喜欢故事。如果乔叟能留下日记，里头规规矩矩记述他在理查三世的皇宫里当差的经过，那才是我真正该读的东西，否则我辛辛苦苦学文言文所为何来？

最近才刚扔了一本别人送我的书——作者描述奥立弗·克伦威尔时代的社会状况，天晓得这个自作聪明的家伙是不是瞎掰，他又不是那个时代的人，哪晓得那个时代的社会状况？如果我真想了解那个时代的社会状况，大可左阅弥尔顿[77]，右读沃尔顿。这些货真价实的作品不仅能清楚明白告诉我那个时代的社会状况，还能引领我神游其境。

君不见沃尔顿尝曰："若非身临现场、亲眼目睹，何以让看官尽信余言？"

这段话说得铿锵有力，深得吾心！我坚决拥护"亲身经历"的作者、作品。

附上两元支付这本乔叟，这样我在你们的户头里应该还会有六十五分钱的余额——比起我的其他任何一个户头都多。

XX

h

亲爱的弗兰克——

　　我手头上正在编写给孩子们读的历史教材（已经写到第四本了，惊讶吧？），忽然想起要帮一位朋友问你：你们有没有一套萧伯纳全集——他坚称书名前冠着"定本×××"、暗红褐色的布面装帧——希望你有印象。我附上一张清单，上面列的是他已经有的几本。如果你可以为他补齐其他几本，先别全部寄来！他会分批购买，他和我一样——甲级贫户一个。你们可以直接寄给他，地址就写在清单上头。如果你嫌我的字太潦草看不懂的话，那是"第三十二大道"。

　　你可有塞西莉或梅甘的消息？

　　祝一切顺利

海莲

海莲·汉芙小姐
美国，纽约州，纽约市 21
东七十二大街 305 号

1964 年 4 月 14 日

亲爱的海莲：

　　关于您的朋友想要的《定本萧伯纳作品全集》，原出版社目前仍有新书发行。红褐色布面精装——正如您所描述的。我想全套共有三十册。旧书反而不常见到，如果您的朋友不介意购买新书，我们可以安排对他方便的方式，每个月寄给他三或四册。

　　我们这几年来都没有塞西莉·法尔的消息，至于梅甘·韦尔斯，她在南非没多久就待不下去了，回国后曾到书店来看大家，给了大伙儿一个发"早跟你说了偏不听"牢骚的机会。不过她后来又搬去澳洲碰运气了。前几年还曾收到她寄到书店的圣诞卡，最近则又断了音讯。

　　诺拉和女孩儿们同我一起寄上祝福——

弗兰克

海莲·汉芙小姐
美国，纽约州，纽约市21
东七十二大街305号

1965 年 10 月 4 日

亲爱的海莲：

很高兴再度收到您的来信。是的，我们都还健在如昔——老态益发龙钟，工作更加忙碌，口袋却没能加倍饱满。

我们购入了一本 E.M. 德拉菲尔德[78]的《村姑日记》，一九四二年的麦克米兰版，书品很好，定价两美元。今天我会将书及账单为您寄去。

我们度过了一个"青春洋溢"的夏天——今年的游客比往年更多，大批年轻人全拥向卡纳比街[79]朝圣。我们只能老远隔着安全距离打量他们。老实说，我还蛮喜欢披头士的，只希望他们的歌迷们不要放声尖叫。

诺拉和女孩儿们同我一起寄上祝福——

弗兰克

我们都仍健在，可不是吗……

我为儿童编写美国历史读物已经长达四五年，得将这玩意儿告一段落了——为了写这些书，我自己还买了一大堆关于美国历史的书，全都是长相丑、装订差的美国书。我想，大概没有哪个循规蹈矩的英国人会在家里头收藏詹姆斯·麦迪逊[80]的制宪会议记录，或是 T. 杰弗逊[81]写给 J. 亚当斯[82]的书信吧。

你当上外祖父没？告诉希拉和玛莉，她们的小孩都将免费获赠作者签名的《少年历史读本》，这样子应该能让她们比较愿意安定下来增产报国了吧。

我挑了一个细雨霏霏的星期天介绍一位年轻朋友读《傲慢与偏见》，她现在果然已经疯狂迷恋简·奥斯汀了。她的生日就在万圣节前后，你能帮我找几本奥斯汀的书让我当礼物送吗？如果是一整套的话，先让我知道价钱，万一太贵，我会叫她的先生分摊，我和他各送半套。

祝诺拉和你周围所有人好。

海莲

海莲·汉芙小姐
美国，纽约州，纽约市 21
东七十二大街 305 号

1968 年 10 月 16 日

亲爱的海莲：

　　是的，我们依然健在，手脚也还勉强灵光。这个夏天真是把大家忙坏了，从美国、法国、北欧和其他各国来的大批观光客，几乎把我们比较好的皮面精装书全都搜刮一空。由于书源短缺，加上书价节节攀升，恐怕很难赶在您的朋友生日前找到任何奥斯汀的书，我们会设法在圣诞节之前为您办妥这件事。

　　诺拉和女孩儿们都很好。希拉已经开始执起教鞭；玛莉则和一位人品不错的小伙子订了亲——不过一年半载的还结不成婚，因为双方的经济条件都不太宽裕。所以，诺拉一心想当个福福泰泰的外祖母，这希望恐怕愈来愈渺茫呢。

想念您

弗兰克

H. 汉芙小姐
美国、纽约州、纽约市 21
东七十二大街 305 号

1969 年 1 月 8 日

敬爱的小姐：

　　我于近日整理公文档案时，偶然发现一封您于去年九月三十日寄给德尔先生的信。我在此非常遗憾地向您报告：德尔先生甫于上上个礼拜天（十二月二十二日）去世了。丧礼则已在上周三（元月一日）举行。

　　德尔先生于十二月十五日因罹患急性盲肠炎被紧急送医，虽然立即施行手术，但他仍不幸因病情扩散，导致腹膜炎并发而于七日后不治。

　　德尔先生在本书店服务已超过四十年，加上马克斯先生也刚辞世未久，科恩先生对于这个不幸的事件自然万分悲恸。

　　您是否仍须本店为您寻找简·奥斯汀的书？

马克斯与科恩书店

秘书

琼·托德 敬上

未署明日期，邮戳日期为 1969 年 1 月 29 日。无寄信地址

亲爱的海莲：

感谢您寄来的慰问信，我完全不认为那冒犯了我。我真希望您在弗兰克在世时能够与他见面，并亲自结识他本人。我原先只知道他是一个处事严谨同时也很幽默的人；现在还了解了他在待人处事上更是一位谦冲的君子，我收到许许多多来自各地的信，都异口同声地赞扬他对古书业的贡献；许多人还说他是如何饱富学识而又不吝于与其他人分享……如果您想要看这些信，我可以将它们寄给您。

不瞒您说，我过去一直对您心存妒忌，因为弗兰克生前如此爱读您的来信，而你们俩似乎有许多共通点；我也羡慕您能写出那么好的信。弗兰克和我却是两个极端不同的人，他总是温和有耐性；而因为我的

爱尔兰出身，我的脾气总是又倔又拗。生命就是这么爱捉弄人，他从前总是试图教导我书中的知识……我现在好想念他。

孩子们都很懂事，我为此深感欣慰。像我这样要一辈子孤寂以终的人想必大有人在吧。

希望您能原谅我的字迹潦草。

祝福您
诺拉

我盼望有一天您还是能来造访我们，两个孩子都很想见见您。

亲爱的凯瑟琳——

我正在整理书架，现在抽空蹲在书堆中写信给你，祝你们一路顺风。我希望你和布莱恩在伦敦能玩得尽兴。布莱恩在电话里对我说："如果你手头宽裕些就好了，这样子你就可以跟我们一道去了。"我一听他这么说，眼泪差点儿要夺眶而出。

大概因为我长久以来就渴望能踏上那片土地……我曾经只为了瞧伦敦的街景而看了许多英国电影。记得好多年前有个朋友曾经说：人们到了英国，总能瞧见他们想看的。我说，我要去追寻英国文学，他告诉我："就在那儿！"

或许是吧，就算那儿没有，环顾我的四周……我很笃定：它们已在此驻足。

卖这些好书给我的那个好心人已在几个月前去世了，书店老板马克斯先生也已经不在人间。但是，书店还在那儿，你们若恰好路经查令十字街 84 号，请代我献上一吻，我亏欠她良多……

海莲

尾　声

亲爱的海莲：

这是德尔家族第三号通讯员首次发言！

首先，我要对我们长时间的静默向您致歉。请相信我，其实我们心中一直惦记着您，只是不知如何将这样的意念用文辞表达。直到今天我们又收到您的来信，我们都感到万分惭愧，并决定应该立刻动笔回信给您。

我们很高兴得知您的出版计划，也同意并很愿意提供这些信件供您作为出书之用。

我们现在搬到了可爱的新家，常常会在心里想着：如果父亲依然健在，一定也会喜欢这儿的。

再多的悲恸亦无济于事。虽然父亲生前从未拥有财富、权势，但他始终是一个快乐自得又具有丰富内涵的人，我们应该以拥有一位这样的亲人而深感欣慰。

也许只是为了冲淡愁思，我们都尽量让自己忙碌着。玛莉白天在大学图书馆辛勤工作，晚上则和朋友开车出游散心，深夜方归；我除了正常的教职外，还兼修一个学位；妈妈则整天忙上忙下，一刻也不让自己闲下来！所以，恐怕大家都无法好好地回信——不过，当然我们会很高兴能继续收到您的来信。无论如何，只要有空，我们还是会努力回信的，并期盼能再有您的消息。

希拉诚挚 敬上

注　释

1. 查令十字街（Charing Cross Road）——虽然的确贯穿数个"十字路口"，但无关乎"十字路"。此路名源自"查令十字"（Charing Cross）——十三世纪末，英王爱德华一世（Edward I of England, 1239—1307，在位期间1272—1307）为悼念爱妻埃莉诺王后（Eleanor of Castile, 1246—1290），在其出殡行列沿途（自诺丁汉到西敏寺）架设十二座石造十字架。一八六五年，建筑师爱德华·巴里（Edward Middleton Barry）仿制其中一座，矗立于前一年新开业的英格兰东南区铁路终站（即现在的查令十字街车站）前庭。因为交通汇集，查令十字遂成为近代伦敦的发展中枢。

早在十八世纪，约翰逊（Samuel Johnson, 1709—1784）即曾预言："人类生活的潮流尽在查令十字。"以查令十字车站为端点向北延伸的查令十字街（前端为一小段圣马丁街，至牛津街起街接托登罕路），沿途有栉比鳞次的书店、出版社；加上邻近的柯芬园剧院区、艳名远播的苏活区、餐馆林立的唐人街，此处长期是伦敦人的文娱重镇。虽然现在仍有不少新、旧书店坐落于此，但因旧书来源渐趋枯涸、大型连锁书店大举进驻，查令十字街古旧书业近年来已大为萧条，当年一片荣景渐不复见。不过，此处依然是人们前往伦敦淘书的首选之地。

"马克斯与科恩书店"起初在老孔普顿街（Old Compton Street）开业，先后曾移往查令十字街108、106号；一九三〇年迁至查令十字街84号。马克斯与科恩书店除了经营一般古旧书籍外，其对狄更斯相关书籍收罗之丰沛，当时无其他书店能及。一九七七年，该书店因主事者陆续亡故而歇业。其店面后来一度由"柯芬园唱片行"承接。现在，店门口外还镶着一面铜铸圆牌，上头镌着："查令十字街84号，因海莲·汉芙的书而举世闻名的马克斯与科恩书店原址。"

无数爱书人因为汉芙的这本书，更加缅怀查令十字街上曾经有过的璀璨时光。直到今天，每年都有许多读者从世界各地来到伦敦，踩上这条街、站在早已不复存在的书店门口，凭吊这段绵延二十年、横跨大西洋的动人情谊。美国密歇根州穆尼辛市甚至有一家二手书店命名为"查令十字街84号，咦？"（84 Charing Cross Road, EH?）。互联网上也有名为"重访查令十字街84号"的纪念网站（www.84charingcrossroad.co.uk）。

2. **Saturday Review of Literature**——由亨利·塞德尔·坎

比（Henry Seidel Canby）、克里斯托弗·莫利（Christopher Morley）、埃米·洛夫曼（Amy Loveman）与罗丝·贝内特（Rose Bene't）于一九二四年共同创办的文艺周刊。一九五二年起改称《星期六评论》，内容则扩大涵括更多文字以外的艺术类型、媒体与社会评论。长年以来，外界都认为它的灵魂人物是总编辑诺曼·卡曾斯（Norman Cousins），从一九四〇年起他就一直主导这份刊物的风格走向，后来更兼任发行人，直到一九七八年。

3. Barnes and Noble——虽然现在俨然是雄霸一方的大型连锁书店，一八七三年创业的巴诺书店，初期是以经营新旧教科书起家。直到第二次世界大战后初期，巴诺仍是一家卖课本、廉价书的铺子。

4. 威廉·哈兹里特（William Hazlitt, 1778—1830）——英国散文作家兼评论家。早年潜心绘画，后来转移志业至写作。除了政论及剧评之外，他创作了大量优美的散文，这些散文被编成两个有名的文集：《席间杂谈》（**Table Talk**，1821）

与《直言集》（**Liber Amoris**, 1823）；其他主要著作有：
《莎士比亚戏中人物》（**The Characters of Shakespeare's Plays**, 1817），与利·亨特共著的《圆桌对论》（**The Round Table**, 1817），《英国剧场之我见》（**A View of the English Stage**, 1818），《英国诗人综论》（**Lectures on the English Poets**, 1818）与集其思想大成、打动人心的《时代精神》（**The Spirits of the Age**, 1825）。生平著作编成《哈兹里特全集》十三卷，于一九○二至一九○三年出版。他如今被公认为是英国散文大家。

5. Nonesuch Press——由门德尔女士（Miss Mendel）、戴维·加尼特（David Garnett）与弗朗西斯·梅内尔爵士（Sir Francis Meynell）于一九二三年创立的出版社。其宗旨为：将机械过程与手工精制适度结合以降低成本——但仍尽力维持高水平的装帧品质，并将产品通过一般书籍销售渠道，以合理价格出售。每一本书的美术设计皆由梅内尔爵士担纲。此出版社于第二次世界大战期间曾中止业务，一九五三年以四卷版的莎士比亚作品集重新开始营业，最后一本书出版于一九六八年。

6. **Virginibus Puerisque**——罗伯特·路易斯·斯蒂文森（Robert Louis Stevenson, 1850—1894）一八八一年出版的散文集。是他与芬妮·奥斯本（Fanny Osburne）在美国完婚回到苏格兰后，相继问世的一连串书籍中的第一本。

7. Leigh [James Henry] Hunt, 1784—1859——英国新闻记者、散文作家、诗人暨政论家。一八〇八年创办《考察者》（**Examiner**）周刊，因主张废止奴隶买卖、改革议会等进步主张，涉及以言论攻击摄政王储（后来登基为乔治四世）而下狱，当时被公众视为争取言论自由的英雄。他与济慈、雪莱的交游亦是文坛佳话。他的雄健论述具洞察力与可读性，相对地，他的诗作反而相当幽微、细腻。主要著作有：《拜伦及其同时代诸君》（**Lord Byron and Some of His Contemporaries**, 1828），诗集《里米尼的故事》（**The Story of Rimini**, 1816）与脍炙人口的《自传》（**Autobiography**, 1850）。

8. madam——在某些场合暗指妓院里的老鸨。

9. 沃尔特·萨维奇·兰多（Walter Savage Landor, 1775—1864）——

英国作家。曾就读名校拉格比学校与牛津大学，但皆因与校方意见不合而辍学。而他因火爆的脾气与对人的慷慨热情，亦义结许多文坛友人。他精通罗马文学，许多著作都以拉丁文书写。作品有抒情诗、剧本、英雄史诗，最主要的著作为《假想对话录》(**Imaginary Conversations**, 1824—1853)，书中假借古代人物两两对谈，泛论各种主题，以古喻今。

10. Aesop, ca.6 B.C.?——希腊寓言作家，原为奴隶，获得自由后定居希腊。常利用动物拟人行径作道德训示。

11. Rhodpe, ca.6 B.C.?——希腊寓言故事中的著名娼妓。

12.《通俗拉丁文圣经》(**Vulgate**)——为天主教徒使用的拉丁文圣经。公元三八二年教皇达马苏（Pope Damasus，在位期间366—384）指派当时重要圣经学者哲罗姆（St. Jerome）根据当时坊间充斥驳杂的各种流通本进行整编，以作为教会定本。哲罗姆援引希腊文与希伯来文原稿，以优美流畅的文笔翻译成拉丁文。此工程历时二十余年，至公元四〇五年告成。此后数百年间，各种修订本仍不断出现，包括此处被汉芙骂不绝口、由英格兰传道会自行编译的版本。

13. 马克斯（Marks）与科恩（Cohen）都是典型的犹太人名字，汉芙惟恐自己寄送的火腿违反了犹太教的饮食禁忌。

14. 约翰·亨利·纽曼（John Henry Newman, 1807—1890）——英国神学家，原为英国基督教圣公会内部牛津运动领导人。后改皈天主教并成为天主教会领袖。

15. Lent——指复活节前为期四十天的斋戒及忏悔，以纪念耶稣在野外禁食。

16. 托马斯·怀亚特（Sir Thomas Wyatt, 1503?—1542）——英国诗人。将意大利的十四行诗、三行连环韵诗体及法国的回旋曲引介到英国。曾在英王亨利八世治下担任多次公职。他的诗作个性浓烈，影响诸多十六和十七世纪作家。

17. 本·琼森（Ben Jonson, 1574—1637）——英国剧作家兼诗人。被公认为是伊丽莎白一世与詹姆斯一世时期仅次于莎士比亚的杰出剧作家。除了大量剧作之外，他的抒情诗亦颇受推崇。

18. 阿瑟·奎勒－库奇（Sir Arthur [Thomas] Quiller-Couch, 1863—1944）——英国学者，长年执教于剑桥，著作时惯用笔名"Q."。他最为人称道的成绩是编纂了许多精湛的文集，包括历久不衰的《牛津英语诗选》（**Oxford Book of English Verse**, 1900）、《牛津歌谣集》（**Oxford Book of Ballads**, 1910）、《牛津英语散文选》（**Oxford Book of English Prose**，1925）等。海莲·汉芙自认从库奇所编的文集中得益良多，故将其自传定名为《Q 的遗产》（**Q's Legacy**）。

19. 约翰·多恩（John Donne, 1572—1631）——英国玄学派诗人、散文家兼神学家、宣道人。多恩出生于伦敦富裕的天主教家庭，曾就读于牛津大学并在伦敦修习法律。曾参与远征西班牙和掠夺西班牙船队的冒险活动。一五九八年担任行政大臣埃格顿爵士（Sir Thomas Egerton）的私人秘书，同时皈依英国国教，一六〇一年进入国会。在此期间，他仿古罗马诗体写了许多诗歌。同年他与莫尔爵士的女儿安妮秘密结婚，不仅遭受女方家长反对，亦触犯当时的法律，他因此一度下狱并遭上流社会排斥多年。但他于一六一〇年所写的宗教文集《假殉道者》（**Pseudo-Martyr**）为维护国教和王权辩护，受詹姆斯一世赏识，此后他在宗教界的地位逐渐提高。一六一五年他正式出任宗教职务，不久后晋升为御前牧师。一六二一年担任圣保罗大教堂教长并在此讲道多年，而气势磅礴、雄迈激昂的讲道稿现存一百六十余篇。他的诗作在当时脍炙人口，于他殁后九十年间多次再版。但十八世纪时，他的诗不再为人欣赏。十九世纪初，有识见的读者再度承认他的诗才。到了二十世纪，T.S. 艾略特推崇多恩的诗才，其脍炙人口的《论玄学派诗人》一文使得多恩再度为诗坛瞩目，不仅诗作，甚至他的讲道稿都引起文学界的极大重视。

20. 指伊丽莎白一世（Elizabeth I of England, 1533—1603）遭前任女王、同父异母的姐姐玛丽一世（Mary I of England, 1516—1558）的迫害、监禁的一段史实。

21. India paper——原指产自东方（特别是中国）的一种质松、富吸水性的宣纸，原本多用于版画印样。后来，英格兰造纸业以纤麻为原料改良制成既薄且不透明的印刷用纸，或称作"圣经纸"。近世多使用于没有插图而字数、篇幅庞大的书籍以控制体积、页数，如全集、辞典或百科全书。现存最早一部以这种纸张印制的书籍为一七九五年至一七九六年间由印刷工老查尔斯·惠廷厄姆（Charles Whittingham the elder）出品的《诗篇新编》（**New Version of the Psalms**）。

22. 萨缪尔·佩皮斯（Samuel Pepys, 1633—1703）——英国海军行政官。他在海军任职期间，建立了纪律、效率与质量均优的制度，使英国海军的实力增强了一倍。他退休后与科学家牛顿、文学家德莱顿等学者名流交游甚密，书信往来频繁。使佩皮斯立名文坛的则是他以速记体撰写的日记，忠实记述他二十七岁至三十六岁（1660—1669）之间的琐碎历程。全书共分六卷，洋洋一百二十五万字。此日记特点为作者毫不掩饰自己的缺点及过失，对于自身生活上的虚荣、吝啬事迹均诚实记载；加上以洗练的文笔，描述王政复辟、查理二世加冕大典、鼠疫爆发、伦敦大火等事件，使此书成为继《圣经》、鲍斯韦尔的《约翰逊传》之后，当时英语世界的最佳床边读物。

23. **Clarendon's Rebellion**——完整的书名为 **The History of the Rebellion and Civil Wars in England**(一七〇二年首版)。为英国史学家克拉伦登伯爵 (the first earl of Edward Hyde Clarendon, 1609—1674) 呕心沥血的历史巨作，详细记述发生于一六四二至一六四八年间的惨烈内战。虽然克拉伦登曾先后在查理一世及二世宫中担任枢密顾问与财政大臣，其女嫁与约克公爵 (后登基为詹姆斯二世)，两位孙女亦先后成为英国女王，但克拉伦登生前与当权派的矛盾日渐加剧，他于一六六七年十一月亡命法国，在当地完成了前述书，并写了记述一生政治历程的自传《我的一生》(**Life**, 1759)，于死后多年方得问世。

24. Sir Roger de Coverley——为理查德·斯梯尔 (Sir Richard Steele, 1672—1729) 根据北英格兰乡土歌谣中的人物塑造，后经约瑟夫·艾迪生 (Joseph Addison, 1672—1719) 增色润

饰的一名虚构角色。是一个综合了滑稽、乡愿、好大喜功的典型乡绅人物。艾迪生与斯梯尔以此为主人公写出许多讽刺故事，多发表在艾迪生的《旁观者》（**The Spectator**，1711—1714）上。

25. 切斯特菲尔德伯爵（4th earl of Philip Dormer Stanhope Chesterfield, 1694—1773）——英国政治家、外交家。以激励人心的动人书信享誉文坛。

26. 奥利弗·哥尔德斯密斯（Oliver Goldsmith, 1730—1774）——爱尔兰裔诗人、小说家、散文家兼剧作家。同时代人均认为他多才多艺，精于各种文体。但他在社交圈却是出了名的怪僻、虚荣又笨拙。为他赢得最大赞誉的是小说《威克菲尔德牧师》（**The Vicar of Wakefield**，1766）以及剧本《委曲求全》（**She Stoops to Conquer**，1773）。

27. 奥斯汀·多布森（[Henry] Austin Dobson, 1840—1921）——英国诗人、批评家兼传记作家。诗作以圆融、隽永、婉约著称，并曾为亨利·费尔丁（Henry Fielding, 1707—1754）、理查德·斯梯尔、奥利弗·哥尔德斯密斯、罗伯特·沃波尔（Robert Walpole, 1676—1745）、贺加斯、理查森（Samuel Richardson, 1689—1761）等名人立传。

28. William Hogarth, 1697—1764——英国画家。擅长观察生活、临摹人物，在肖像画、风俗图和历史画方面有卓越贡献。他所作的大量以市井阶级为描绘对象的风俗图，现在成为探究当时庶民生活的极佳参考资料。他亦热爱文艺，并对当时的艺术理论提出相当多见解。玛克辛在此所谓"贺加斯式的鼻子"，大抵是指宽阔、饱满的鹰钩鼻。

29. George Cruikshank, 1792—1878——英国插画和讽刺漫画家。经常在当时的政论刊物上发表激进的政治漫画，讽喻政界、宗教圈、皇室；名流。一八二〇年起他开始为文学书籍、儿童读物绘制插图，作品数量丰富。据估计由他绘制插图的书籍多达八百五十种以上；同时他亦是最早在儿童书上绘制幽默、生动插画的画家之一。

30. Arthur Rackham, 1867—1939——英国插画家。作品风格秀丽、典雅，擅长描绘如诗如梦般的幻想场景。他的插画杰作出现在《格林童话》（1900）、《仲夏夜之梦》（1908）、《尼伯龙根的指环》（1910—1911）、《暴风雨》（1926）、《皮尔金》（1936）、狄更斯的《圣诞欢歌》、沃尔顿的《垂钓者言》等。

31. 沃德爵士（SirLeslie Ward, 1851—1913）——英国插画和肖像画家。一八七三年起以笔名斯派（Spy）为《名利场》（**Vanity Fair**）杂志绘制插图。

32. Knightsbridge——伦敦的心脏地带，北邻海德公园和肯辛顿花园。境内有无数历史建筑与重要设施，如皇家音乐学院、皇家艺术学院、国家声音档案馆、肯辛顿宫、皇家阿尔伯特音乐厅和哈洛德百货公司（戴安娜前男友父亲所经营），属伦敦的高级地段。

33. Ellery Queen——为两位美国推理小说家（Fredric Dannay 与 Manfred Lee）的共同笔名，也是他们笔下的侦探的名字。

埃勒里·奎因的故事自一九二八年的长篇小说《罗马帽子的秘密》伊始，每年都有一至两部推理作品问世，活跃直至二十世纪七十年代，并衍生出杂志、广播剧及电视剧集。

34. John [Arthur] Gielgud, 1904—2000——英国老牌演员，初以莎士比亚舞台剧出道，是当年英国演艺圈的小生；晚年亦参与电影演出。一九五三年被册封为爵士。

35. 汉芙在此列出几个伦敦的著名景点：四法学院（CourtofInns）、梅菲尔（Mayfair）、环球剧院（Global Theatre）。

36.《伦敦组曲》（**The London Suite**）——为埃瑞克·科茨（Eric Coates, 1886—1957）于一九三三年所谱写。根据汉芙在此所描述的，应是指其中的"骑士桥进行曲"（**Knightsbridge March**）乐章，此段旋律亦长期作为英国广播公司（BBC）的广播节目《今夜城中》（**In Town Tonight**）的台呼配乐。想必当时汉芙时常收听这个节目。

37. 英国海军中将威廉·佩恩爵士（Sir William Penn, 1621—1670）之子，亦名威廉·佩恩（William Penn, 1644—1718，又译作彭威廉）。英国贵格派领袖兼宾夕法尼亚殖民地创建者。早年习法，三度以叛教之罪被捕下狱。

38. Joseph Hilaire Belloc, 1870—1953——英国散文家、小说家，作品充分显示其历史研究的精练。他的文风甚受纽曼熏染，四卷本《英国史》《通往罗马之路》是他的扛鼎之作，记述他徒步在欧陆的旅行；他同时以研究克伦威尔和沃尔顿著称。

39. Grolier Bible——由法国藏书家、装订师让·格罗里埃（Jean Grolierde Aguisy, 1479—1565）发展出来的一种装帧风格，以几何排列的烫金线条镶饰在皮装封面上。以这种方式装帧的书籍现今已成为古籍市场中的珍品。

40. Konstantin Stanislavski, 1863—1938——俄国演员、导演、莫斯科艺术剧院创始人，以革新二十世纪表演理论著称。

41. Brentano's——纽约市内历史悠久的书店，与巴诺书店一样，如今也是遍布全美国的连锁书店。较值一提的是位于第五大道上的总店，原址为 Scribner 父子（出版海明威、菲茨杰拉德等人首部作品的出版商）出版公司与书店所在地。这是一幢新艺术风格的优美建筑，由著名建筑师 Ernest Flagg（1857—1947）设计兴建（1913 年），是现今纽约重要的人文地标之一。

42. Izaak Walton, 1593—1683——英国传记作家。虽所受教育不多，但他自行博览群籍并广结文友。因寓所邻近圣邓斯坦教堂，他积极从事教区事务，因而成为约翰·多恩的挚友与钓伴。他以垂钓的经验，加上对人生的体察，写成隽永的不朽名著《垂钓者言，或沉思者的逸趣》（**The Compleat Angler, or the Contemplative Man's Recreation**，1653），至二十世纪中叶，此书至少再版了三百五十次。国内已有缪哲先生的译本。另一部著名作品则是他陆续为同时代的名人约翰·多恩、亨利·沃顿爵士（Sir Henry Wotton, 1568—1639，英国外交家、诗人）、理查德·胡克（Richard Hooker, 1553—1600，英国神学家）、乔治·赫伯特（George Herbert, 1593—1673，宗教家、诗人）

与罗伯特·桑德森主教（Bishop Robert Sanderson）等人所作的传记（1640—1678），后来集结为《五人传》（**Lives**）出版。

43. Loeb Classics——美国银行家兼学者 James Loeb（1867—1933）放弃继承银行祖业投入古典文学出版的杰作。前后约出版四百种古典文学作品，此版本的特色是以原文（希腊文、拉丁文等）对照印行，对于研究西方上古文艺助益颇大。

44. Horace——全名为 Quintus Horatius Flaccus（65BC—8BC）。罗马诗人，以政治讽喻诗和情诗见长。有四卷本《抒情诗集》传世。

45. Sappho, 612 BC—？——希腊女诗人，出生、定居于勒斯波斯岛（Lesbos），除了在西西里岛度过几年之外，一生不曾离开故居。她诗风大胆奔放、音律优美，自古以来即享有极高评价。柏拉图称其为"第十位缪斯"。

46. Gaius Valerius Catullus, 87—54BC？——罗马抒情诗人，出

生于维罗纳，年轻时即赴罗马发展，以其鲜丽诗风很快风靡当时诗坛。

47. Frankie，弗兰克的昵称。

48. **Tristram Shandy**—— 全 名 为 **The Life and Opinions of Tristram Shandy, Gentleman**。英国牧师兼小说家 Laurence Sterne（1713—1768）的小说杰作（1759—1767），有蒲隆先生的中译本。

49. 阿德莱·史蒂文森（Adlai Ewing Stevenson, 1900—1965）——一九五二年于伊利诺伊州州长任内（1949—1953）为民主党角逐第三十四任美国总统，于该次大选中败给艾森豪威尔，连续二十年的民主党籍总统连任纪录就此终结。一九五六年卷土重来，再次角逐总统，再度落选。

50. 海明威在其小说《丧钟为谁而鸣》的卷首引用了多恩的这段名言。

51. 伊丽莎白二世于一九五三年六月二日登基，加冕典礼于西敏寺举行。

52. Count Alexis [Charles Henri Maurice Clerel] de Tocqueville, 1805—1859——法国历史学家，对于民主制度的原理及操作有独到见解。

53. Sir Richard [Francis] Burton, 1821—1890——英国探险家暨文化学者，曾写作三十余部游记。他对东方（特别是中、近东）文明的切身体验，对于移译并向西方介绍阿拉伯文学作品（包括《一千零一夜》）有重大贡献。

54. Leonard Smithers——英国古典学者。

55. Old Vic——专门演出莎剧的英国剧团，一八一八年在伦敦首次公演，并成为国家剧院的核心班底。一八三三年国家剧院改名为维多利亚皇家剧院，但大家仍昵称其为"老维克"。

56. Benjamin Jowett, 1817—1893——英国著名古典学者。重要的功业为译介了《柏拉图对话录》、亚里士多德的《政治学》、柏拉图的《理想国》等西方经典。

57. Kenneth Grahame, 1859—1932——英国散文家、童书作家。他写的《杨柳风》（**The Wind in the Willows**, 1908）已成为儿童文学的经典作品。

58. Ernest Howard Shepard, 1879—1976——英国插画家。传世作品为《小熊维尼》（**Winnie-the-Pooh**）、《杨柳风》（**The Wind in the Willows**）的插图，谢泼德在书中所创造的角色造型至今仍流行不辍。

59. Stratford-upon-Avon——在英格兰中部沃立克郡内，莎士比亚故居。

60. 指莎士比亚（William Shakespeare）。

61. Uncle Toby——《项狄传》中主人公特里斯特拉姆的叔父。

62. **Essays of Elia**——英国随笔作家兰姆（Charles Lamb, 1775—1834）以笔名伊利亚写出的散文杰作。初刊登于《伦敦杂志》（**London Magazine**），一八二三年起集结出版。

63. Miniver Cheevy——美国诗人罗宾逊（Edwin Arlington Robinson, 1869—1935）一九一○年的作品《河那边的小镇》中的人物。

64. Sir Walter Raleigh, 1861—1922——苏格兰作家、评论家。牛津大学的第一位英国文学教授。

65. **Beowulf**——《贝奥武甫》为出现于约八世纪，以古英文（盎格鲁－撒克逊语）写成的史诗，国内有冯象先生和陈才宇先生两个译本。

66. Ezekiel——犹太王约雅斤时期的著名先知与祭司。公元前六世纪，他与约雅斤一同被掳往巴比伦，在迦巴鲁河畔流亡达二十年，期间仍信仰不移，并通过预言向受难同胞宣称：坚信上帝必能得救。见《旧约·以西结书》。

67. Arcangelo Corelli, 1653—1713——意大利人，巴洛克时期小提琴家兼作曲家。曾创作许多弦乐奏鸣曲。

68. Jezebel——西顿王谒巴力的女儿，以色列国王亚哈的妻子。她利用权势推动异教，迫害信主的教徒，倒行逆施。耶户篡位为王后，下令将她自宫楼掷下，收尸时只找到她的头骨、脚与手掌，其余部位均如先知以利亚所言：被野狗吃光。见《旧约·列王纪上》第十六章。

69. Ellen Terry, 1847—1928——英国女演员。十九世纪九十年代她与萧伯纳之间的长年鱼雁往返是当年的文坛佳话。

70. 另一位阿德莱·史蒂文森（Adlai Ewing Stevenson, 1835—1914）。美国政治家，最高职务为副总统（任期 1893—1897）。

71. Hubert Horatio Humphrey, 1911—1978—— 美 国 政 治 家，一九六五至一九六九年担任副总统；一九六八年为民主党总统候选人。

72. Harold E. Stassen, 1907—2001——美国政治家。一九三八年当选明尼苏达州有史以来最年轻的州长。一九九二年九度角逐总统仍告失利。

73. Saint-Simon, Louis de Rouvroy, Duke de, 1675—1755——军人和作家，法国最伟大的回忆录作者之一。他的《回忆录》是他那个时代的历史见证。

74. Sarah Churchill——英国演员。前英国首相温斯顿·丘吉尔之女。

75. **A House Is Not a Home**——二十世纪五十年代曼哈顿著名的淫媒 Polly Adler（1900—1962）回顾一生烟花的自传，是当年的畅销书之一。

76. **The Common Reader**——弗吉尼亚·吴尔夫（Virginia [Adeline] Woolf, 1882—1941）的文艺评论、散文集（1925、1932）。

77. John Milton, 1608—1674——英国诗人。早期主要的诗作有《快乐者》（**Allegro**）、《幽思者》（**Denseroso**, 1632）等。后因满腔热血而投入内战，其间近二十年未曾动笔。一六五二年双目失明，王政复辟后曾隐居。然后投入叙事长诗的写作，写出《失乐园》（**Paradise Lost**）；而后又写出了《复乐园》（**Paradise Regained**, 1674）。他备受后世推崇，被誉为仅次于莎士比亚的伟大诗人。

78. E.M. Delafield——英国闺秀作家 Elizabeth Monica Dashwood（1890—1943）的笔名。

79. Carnaby Street——二十世纪六十年代伦敦市内青少年聚游的街道，许多以年轻人为定位的流行服饰、化妆品品牌由此发迹，如玛丽关（Mary Quant）等。其地位大约相当于现今日本的原宿或台北的西门町。《牛津英文辞典》对"卡纳比街"的定义如下：“Carnaby Street” as meaning “fashionable clothing for young people”。

80. James Madison, 1751—1836——美国第四任总统（任期 1809—1817），起草并筹组宪法会议，被誉为“美国宪法之父”。

81. Thomas Jefferson, 1743—1826——美国第三任总统（任期 1801—1809），《独立宣言》主要起草人之一。

82. John Adams, 1735—1826，美国首任副总统，后成为第二任总统（任期 1797—1801），《独立宣言》起草委员之一。

图书在版编目（CIP）数据

查令十字街84号／（美）汉芙（Hanff, H.）著；陈建铭译. —南京：译林出版社，2016.4（2024.2重印）
书名原文：84, Charing Cross Road
ISBN 978-7-5447-6288-5

Ⅰ.①查… Ⅱ.①汉… ②陈… Ⅲ.①书信集－美国－现代 Ⅳ.①I712.65

中国版本图书馆 CIP 数据核字（2016）第 070475 号

84, Charing Cross Road by Helene Hanff
Copyright © 1970 by Helene Hanff. Renewed 1988
This edition published by arrangement with Flora Roberts, Inc.
Chinese language copyright © 2016 by Yilin Press, Ltd
All rights reserved.

著作权合同登记号　图字：10-2023-90 号

本书中译本由时报文化出版企业股份有限公司委任安伯文化事业有限公司代理授权。

查令十字街84号 ［美国］海莲·汉芙／著　陈建铭／译

责任编辑　张远帆　王　玥
装帧设计　艾　莉
责任印制　颜　亮

出版发行　译林出版社
地　　址　南京市湖南路 1 号 A 楼
邮　　箱　yilin@yilin.com
网　　址　www.yilin.com
市场热线　025-86633278
排　　版　南京展望文化发展有限公司
印　　刷　南京爱德印刷有限公司
开　　本　787 毫米 × 1092 毫米　1/32
印　　张　5.125
版　　次　2016 年 4 月第 1 版
印　　次　2024 年 2 月第 42 次印刷
书　　号　ISBN 978-7-5447-6288-5
定　　价　48.00 元